Les Choses terrestres

Du même auteur

Comme enfant je suis cuit, roman, Québec Amérique, 1998.

Garage Molinari, roman, Québec Amérique, 1999.

Le chien qui voulait apprendre le twist et la rumba, texte paru dans *Récits de la fête*, collectif d'auteurs, coll. Mains libres, Québec Amérique, 2000.

Mon père est une chaise, collection Titan+, Québec Amérique Jeunesse, 2001.

JEAN-FRANÇOIS BEAUCHEMIN

Les Choses terrestres

roman

ÉDITIONS QUÉBEC AMÉRIQUE

329, rue de la Commune O., 3ᵉ étage, Montréal (Québec) H2Y 2E1 (514) 499-3000

Données de catalogage avant publication (Canada)

Beauchemin, Jean-François

Les Choses terrestres

ISBN 2-7644-0087-X

I. Titre.

PS8553.E171C46 2001   C843'.54   C00-942034-7
PS9553.E171C46 2001
PQ3919.2.B42C46 2001

Les Éditions Québec Amérique bénéficient du programme de subvention globale
du Conseil des Arts du Canada. Elles tiennent également à remercier la SODEC
pour son appui financier.

Le Conseil des Arts | The Canada Council
du Canada | for the Arts

Québec ::

Nous reconnaissons l'aide financière du gouvernement du Canada par l'entremise
du Programme d'aide au développement de l'industrie de l'édition (PADIÉ)
pour nos activités d'édition.

Dépôt légal : 1er trimestre 2001
Bibliothèque nationale du Québec
Bibliothèque nationale du Canada

Révision linguistique : Diane-Monique Daviau
Mise en pages : André Vallée

À mes quatre frères et à ma sœur : Benoît, Jean-Luc, Pierre, Jacques et Christiane. Pour cet attroupement bruyant et rigolard de fauchés, de flâneurs et de poètes variés que nous formons tous les six, quand nous quittons nos costumes de gens irréprochables.

À Manon Des Ruisseaux, toujours si inquiète pour les autres, et si peu pour elle-même.

À l'entrée de Galway, Walcott parla de nouveau : « Je suis resté athée, mais je peux
comprendre qu'on soit catholique ici. Ce
pays a quelque chose de très particulier. Tout
vibre constamment, l'herbe des prairies
comme la surface des eaux, tout semble indiquer une présence. La lumière est mobile et
douce, elle est comme une matière chan-
geante. Vous verrez. Le ciel, lui aussi, est
vivant. »

Michel Houellebecq
Les Particules élémentaires

Le monde dépeint dans cette histoire n'est pas le nôtre, et cependant il lui ressemble. On ne cherchera pas les similitudes avec notre univers dans les phénomènes naturels de ce monde-là, encore moins dans les caractéristiques physiologiques de ceux qui l'habitent. Leur humanité, en revanche, nous est déjà plus familière. À une différence près, on reconnaît en elle nos frères et sœurs. Quelle est cette différence ? C'est que les individus représentés ici sont en quelque sorte toujours étonnés qu'on puisse concevoir l'existence autrement qu'en accordant aux choses du cœur une place dominante. On ne se surprendra guère par conséquent de les trouver si entièrement occupés par les émotions que ces choses leur inspirent. Tout se passe pour eux comme si la vie ne se vivait qu'à travers le prisme de la sensibilité, et comme si la raison, et même l'expérience, ne comptaient que pour peu de chose. En somme, tous sont d'inlassables adolescents. Voici en effet l'histoire de gens rêveurs et courageux, qui croient en un monde meilleur ici et maintenant, tel que le prescrit toute vie humaine encore neuve. Et voilà pourquoi ce roman, où les personnages pour la plupart dépassent pourtant largement l'âge de l'adolescence, est bel et bien un roman sur la jeunesse.

Le jour arrivait avec sa fanfare muette, peu à peu le soleil se levait sur les choses terrestres. C'était une aube remplie d'oiseaux avec beaucoup de solfège à l'intérieur du coffre mélodique, mais qui ne laissaient s'échapper par le bec que des débuts de chansons, car à cette heure si matinale le refrain ne leur revenait pas encore tout à fait. Cependant, au milieu de leurs petits corps d'aéroplanes musicaux, le tourne-disque aérien commençait à se réchauffer, bientôt tout le ciel résonnerait de mélodies légères sorties tout droit du ventre. De chaque côté, pendant ce temps, les ailes allaient et venaient comme une moulinette pour garder le tout suspendu au-dessus du quartier avec grâce et altitude. À l'arrière il arrivait tout de même que la queue reste coincée en mauvaise position parce que l'oiseau avait dormi dessus, et voilà pourquoi certains tournoyaient sans relâche au-dessus des maisons avec le gouvernail qui n'en faisait qu'à sa tête. Les pattes, quant à elles, attendaient tranquillement l'atterrissage, repliées sous la carlingue. À l'horizon, l'air ressemblait aux flancs d'une truite, car tout s'entrelaçait si formidablement, le gris de la nuit, le rose du matin, et aussi les flèches d'argent comme sous les poissons quand ils fendent les rivières. Plus haut, le ciel hésitait encore : fallait-il éteindre jusqu'à la dernière étoile ? Mais à cette heure il n'y avait plus de choix possible, déjà la clarté étendait son costume sur le monde, ce placard clos.

Partout les maisons commençaient à s'animer, dans les fenêtres on voyait les gens qui se grattaient sous le pyjama en regardant le ciel pour voir un peu à quoi allait ressembler la météo ce matin-là. Devant les portes des HLM, des chats faisaient leur toilette en attendant qu'on leur ouvre pour le déjeuner, et chaque fois que la langue frottait le pelage ça faisait *floup, floup*. Cachées dans le poil, les puces attendaient sagement que ça finisse, et alors elles sortaient de leur cachette puis elle recommençaient à faire la fête entre les rayures.

Vers les sept heures, en tendant l'oreille, j'ai entendu par la fenêtre ouverte de monsieur Poussain la radio qui jouait *Marguerite ma jolie* avec le batteur qui tenait le rythme terriblement à l'arrière. Ensuite le soleil a dépassé la hauteur des toits, et aussitôt on a senti une petite émotion traverser les arbres. Au bout des branches, les feuilles un peu racornies par l'automne ont commencé à bouger à cause du vent léger, et lorsqu'elles s'envolaient sur les vaguelettes de l'air on aurait dit de petites chaloupes roussies et bosselées. Après, quand le soleil a été tout à fait levé, la lumière a fait briller la vitrine de madame

Doubska, puis son fils Jerzy a commencé à sortir la marchandise sur le trottoir pour attirer la clientèle passante. Les fenêtres des maisons aussi ont brillé, puis les toits des usines, les décombres de l'ancien Garage Molinari, et jusqu'aux lunettes du caporal Breadbaker qui balayait le sol devant son hangar. Et alors la fanfare silencieuse du jour a encore entonné quelque chose avec son grand feu émotif, oh! comme ça ressemblait à une victoire, tout cet incendie de trompettiste!

Mais voici que quelqu'un frappe sur le palier, c'est le docteur M'Bélélé qui vient examiner mon frère.

C'était un homme à la peau si noire que lorsqu'il souriait avec ses dents rutilantes on aurait dit un clair de lune sur la nuit du visage. Au milieu de la face le regard brillait aussi à l'occasion, mais seulement quand il parlait de sa femme, dont il était si amoureux que ça le prenait encore aux tripes même après toutes ces années de mariage, jadis, dans son Congo natal. Au sommet, ses cheveux si frisés et toujours entretenus très au ras de la tête rappelaient un peu les vaguelettes sur les gâteaux au chocolat de madame Bérimont, quand elle nous en apportait parfois. Autour du crâne, à cause de son âge respectable, une bande étroite de ces cheveux-là formait une autoroute très blanche couchée sur le flanc et en forme d'anneau de Saturne, interrompue sur le devant pour laisser passer le visage. Avec les dents et les yeux c'était la seule blancheur qui venait de lui, sauf quand il enfilait son sarrau et qu'il portait ses baskets blancs, alors le docteur M'Bélélé était illuminé de haut en bas comme une lampe congolaise.

Joëlle et moi on l'a conduit dans la chambre de Jules, et alors il s'est mis à fouiller dans sa trousse sans même retirer son couvre-chef en peau de guépard. En éparpillant son bric-à-brac sur le lit, il ne cessait de répéter *Où ai-je encore rangé mon entonnoir, vraiment? Où ai-je encore rangé mon entonnoir, vraiment?* Quand il l'a enfin retrouvé, il a fixé à l'extrémité la plus petite un bout de tuyau d'arrosage et ça lui a fait une sorte de stéthoscope qu'il s'est collé sur l'oreille, pendant que l'autre bout allait rejoindre le ventre de mon frère. Puis on l'a laissé un moment se promener avec l'appareil sur Jules, et à la fin en m'approchant du lit j'ai demandé *Et alors, docteur?* Il s'est redressé, il a enlevé son chapeau lentement, car il faisait tout si lentement, puis il s'est passé les doigts dans les cheveux d'un air soucieux et il m'a tendu l'entonnoir au-dessus du lit en disant *Écoutez vous-même, vraiment.* Il n'arrêtait pas de mettre le mot *vraiment* partout dans ses paroles. À mon tour je me suis penché sur mon frère avec ce truc dans l'oreille pour écouter le contenu de Jules. Je suis resté pendant une ou deux minutes à écouter, là-dedans vous entendiez une chanson remplie de notes nostalgiques, c'était terrible de tristesse. Ensuite j'ai demandé *Qu'est-ce que c'est? On dirait un oiseau.* Le docteur M'Bélélé a traversé doucement de mon côté du lit, il a posé sa main sur mon épaule puis il a répondu *Vous avez raison, c'est un oiseau, vraiment. Une tourterelle triste, en fait. Pour tout vous dire, ce volatile est enfermé dans l'abdomen de votre frère. Vraiment.*

Ensuite Joëlle est restée courageuse puis elle a commencé à dire à Jules des choses minuscules malgré l'inquiétude qui lui dessinait des ombres dessous ses jolis yeux. *Ce matin, le vent est si doux que lorsqu'il vous frôle on dirait la main de quelqu'un qui vous veut du bien*, disait-elle par exemple, en caressant la joue de mon frère. Quand on entendait ces choses, ça faisait une petite mélodie aérienne dans la chambre, on avait peine à croire que les oiseaux puissent rendre malade le corps des gens, et pourtant mon frère était étendu entre les draps avec sa fièvre et une tourterelle dans le ventre.

Puis le docteur M'Bélélé a continué son examen, il a pris le poignet du petit, et avec sa montre il s'est mis à calculer si dans mon frère le cœur martelait selon les règles de l'art. Au bout d'un moment il l'a fait asseoir dans le lit, et avec son oreille collée entre les omoplates de Jules il lui a demandé de dire trois fois *Trottinette à tribord*. Après il lui a cogné sur les genoux avec un marteau de caoutchouc pour les réflexes, et tout de suite la jambe a répondu par un raidissement nerveux de tout le squelette, y compris la musculature environnante, de ce côté ça allait. Ensuite il lui fait ouvrir la bouche comme une fenêtre et il regarde au plus profond avec la lumière de sa lampe de poche qui scrute le gosier tel un mineur cherchant de l'or dans les grottes. Enfin, comme dernier test, il fallait lui prendre la tension, alors le docteur M'Bélélé a ôté une de ses chaussettes. Avec son canif, il coupe le bout tout juste à la hauteur du logement des orteils, et alors il ne reste plus qu'un tube de tissu qu'il fait glisser autour du bras de Jules jusqu'au coude environ. Une fois la chaussette bien en place, il sort de sa trousse un ballon de fête. Du bout des doigts il place le ballon dégonflé entre la peau et la chaussette, puis dans sa trousse encore il déniche une pompe à pneu de bicyclette. Tout en pompant il surveille le pouls, et quand le ballon est au maximum le docteur M'Bélélé lâche un peu sa pompe puis il reste un moment encore à examiner les martèlements. À la fin il range le tout dans sa trousse, et le voilà avec une seule chaussette à l'intérieur des souliers.

À ce moment, Joëlle a semblé plus inquiète et elle a demandé *Que faut-il faire?* Le docteur M'Bélélé a fait *Hum* en frottant encore sa tête. Puis : *À vrai dire, je ne sais que répondre. Je devrai encore consulter mes livres, vraiment. Dans les circonstances, le mieux est encore de le laisser se reposer et d'attendre.* Ensuite il continue de ranger son entonnoir, son canif, ses fioles de jus de rutabaga et tous ses instruments dans sa trousse, puis en replaçant son chapeau il dit *Je repasserai dans trois jours.* Pour finir il fait une piqûre au petit, et tout de suite Jules s'endort. Par la fenêtre ouverte deux petites chaloupes roussies s'amènent sur le dos du vent et viennent se poser sur les draps, comme arrivées à destination.

Plus tard je suis allé faire un tour pour saluer monsieur Molinari, et aussi pour essayer encore une fois de puiser dans ce réconfort métaphysique dont il était toujours si rempli. En chemin, la lumière tombait sur les choses et vous forçait à plisser les yeux quand elle venait frapper les vitres des fenêtres. C'était une journée magnifique avec un ciel qui recouvrait le monde pendant que les gens allaient et venaient en dessous, que la Terre tournait comme un carrousel un peu mélancolique et que les heures filaient en direction du lendemain. Partout où vous posiez les yeux vous aperceviez des restes d'été à cause de la lumière chaude qui flânait encore sur les maisons. Mais aussitôt, le bruit des feuilles écrasées sous vos pas vous arrivait dans les oreilles, ou sinon un morceau de vent frisquet venait vous glisser sur le corps, et alors vous saviez que c'était foutu pour l'insouciance des beaux jours. Vous regardiez le ciel, puis vous songiez aux nuits plus longues et froides qui viendraient bientôt avec leurs cargaisons d'étoiles à perte de vue, et au même moment un petit mélange de tristesse et de beauté s'allumait dans la poitrine. Sans que vous sachiez pourquoi, l'air quand il entrait dans les narines prenait des sentiers émotifs, puis on aurait dit que le moulinet à chagrin s'activait à l'intérieur.

Au coin des rues, des chiens restaient debout. Des moineaux, ne sachant que faire, sautillaient sur les branches. Au bout d'un moment, un merle lance les premières notes de *Près des igloos*. Alors des dizaines d'autres s'envolent puis se placent côte à côte sous les nuages. Ensuite leurs petits corps se soudent les uns aux autres pour écrire les mots de la chanson dans le ciel du quartier :

Près des igloos
Le nez en l'air
Quand ils regardent
Passer les canards
Les pingouins sont tristes
Avec leurs ailes
Inutiles

Puis j'arrive rue des Pâquerettes chez monsieur Molinari. Juste devant la porte, Léon est couché sur le trottoir, occupé comme toujours à quémander un repas aux passants. Je m'assieds un moment dans l'escalier pour caresser sa bonne tête, et alors il plisse les yeux, puis la queue frétille à l'autre bout. Pendant un moment j'ai encore regardé le ciel au-dessus du quartier avec la truffe de Léon sur les genoux. À nous deux, avec nos yeux remplis de questions, on a cherché à savoir s'il y avait là-haut des trucs équivalents à toute cette vie sur les trottoirs, dans les cours des HLM, dans les ruelles, dans les vitrines et les maisons. Mais à part le soleil qui faisait son chemin entre les nuages, le vent qui soufflait de temps à autre sur les choses et la lumière qui tombait sur le monde, rien ne vous répondait.

Chez monsieur Molinari je me suis assis avec lui dans la cuisine et on a avalé un peu de pain noir. Quand on posait les coudes sur la table, les assiettes dérapaient vers la droite à cause du plancher en pente raide qui ne rejoignait pas toujours toutes les pattes du mobilier. Car c'était un logement modeste, et monsieur Molinari était si pauvre depuis qu'il avait dû vendre son garage. Puis on a parlé de la météo, après il a demandé *Comment va le petit, ce matin ?* et je lui ai raconté pour la tourterelle triste dans le ventre au milieu de mon frère. Ensuite monsieur Molinari a dit avec sa voix pleine d'autorité italienne : *Ce qu'il lui faudrait à ce garçon, c'est une bonne prière ! Allez, j'y retourne avec toi !* Et nous voilà sortis dans la rue, moi avec mon inquiétude et lui avec son crucifix qu'il garde toujours sous la main quand les choses tournent mal. En chemin, des feuilles se détachaient des branches et exécutaient de petites chorégraphies éperdues autour de nous.

C ar c'était un homme qui croyait en la prière comme moyen de remédier aux ennuis. *Dieu est bon*, aimait-il à dire. *Mais bon à quoi!* songeais-je souvent.

N'empêche, il y avait à l'intérieur de monsieur Molinari immensément de foi en Dieu, amassée au fil des années. Ça débordait même de lui jusqu'à envahir tous les recoins de sa maison, à l'intérieur de laquelle on trouvait d'ailleurs beaucoup d'objets bibliques. Partout c'était déposé sur les meubles pour décorer, par exemple, ou sinon c'était utile, comme sa salière en forme de Roi mage avec les trous sur la tête pour laisser passer le sel. Ou encore, ses pièges à souris avec la face de Jésus imprimée sous le ressort. Il y avait aussi des crucifix au-dessus de toutes les portes de son logement, avec un Christ cloué dessus qui vous regardait quand vous passiez au salon ou ailleurs. Et puis, partout les murs étaient couverts de banderoles sur lesquelles il y avait des extraits de la Sainte Bible et que monsieur Molinari vous récitait sans relâche, car il trouvait ça très beau.

Mais c'était surtout dans le corps que sa foi semblait l'occuper le plus. À première vue, ce n'était qu'un corps comprenant des dizaines d'organes utiles et un squelette au milieu qui supportait beaucoup d'embonpoint tout autour. Mais quand monsieur Molinari s'agenouillait sous les banderoles ou ailleurs pour commencer ses prières, très vite un ronflement de chambre des machines sortait de lui. Était-ce l'effet de la foi, je l'ignore, mais à ces moments on sentait que quelque chose démarrait, et d'ailleurs tous les morceaux de monsieur Molinari tremblotaient un peu, comme lorsque vous lancez un moteur. Il entrait alors dans un état second qui le transportait hors de lui-même sans doute, mais où, nul ne le savait. On sentait bien en tout cas que quelque chose, une sorte de copie énigmatique et aérienne de sa personne, lui sortait du corps pour aller faire un tour. Cependant, le squelette et tous ses ossements, de même que tout le reste de monsieur Molinari, restaient sur place et attendaient que ça finisse. Appuyés sur le front, les doigts des deux mains se mélangeaient entre eux de gauche à droite. Plus bas, les lèvres murmuraient des paroles bien senties, inspirées des banderoles. Les yeux quant à eux restaient toujours complètement fermés sous la haie des sourcils, peut-être justement pour laisser toute la parole à la bouche. Sur le sol, les genoux tenaient bon, mais de toute évidence les rotules y goûtaient, du moins jusqu'à ce que monsieur Molinari quitte le logement de son corps vers un but inconnu et mystique, et alors ça devenait plus facile à supporter. Puis il se relevait, et alors on voyait que pendant la prière l'émotion avait dessiné quelque chose sur son visage, seulement c'était toujours difficile à décrire : la foi est si mystérieuse parfois.

Dieu est bon, se contentait-il alors de répéter de son air bourru.

Dans la chambre, monsieur Molinari est d'abord venu dire quelques mots d'encouragement à mon frère de sa voix retentissante, puis il a pris son crucifix, il s'est agenouillé dans un coin, et quelque chose a démarré en lui pendant que les prières sortaient de la bouche. C'était accompagné d'un recueillement très visible sur le front, car presque tout le sommet de la tête venait s'entasser en vaguelettes par-dessus les sourcils. Comme toujours, au moment de ses prières, monsieur Molinari tremblotait uniformément sous ses vêtements et de tous ses membres réunis, à partir des genoux sur le plancher jusqu'aux doigts pieusement réunis pour tenir le crucifix. Parfois le corps changeait de position, et alors on ne voyait plus que l'arrière palpitant tout occupé à se recueillir en direction du mur, et on passait de longs moments sans nouvelles du devant.

Et puis je crois que monsieur Molinari s'est endormi, car à un moment sa bouche n'a plus fabriqué de paroles. Et ensuite voilà son corps rondelet qui s'appuie contre le mur.

Au bout d'un quart d'heure monsieur Molinari s'est levé puis il a dit d'un air rassuré, comme lorsqu'on a réparé un toit qui coulait : *Bon, j'ai fait le nécessaire,* et pour Joëlle et moi c'était beau de le voir si confiant avec son réservoir de réconfort métaphysique et portatif.

L e soir, l'horizon est devenu rouge, avec du mauve et du rose qui débordaient dans les rues du quartier. Chez nous, comme à tous les soirs, Joëlle et moi on a veillé mon petit frère dans sa chambre. À un moment, pour apaiser un peu notre inquiétude, on est allés tranquillement à la fenêtre regarder ensemble les choses dans l'obscurité naissante. Le jour mourait, au loin on voyait encore de grands poissons qui traversaient le ciel avec leurs flèches d'argent sous le ventre. Par-dessus, le firmament a attendu un peu avant d'allumer les astres, et pendant un moment le monde a ressemblé à une cave à charbon dans la pénombre. Plus tard, quand les premières étoiles sont apparues, des amoureux ont commencé à sortir des HLM pour se promener dessous. Parfois de jeunes gens au volant de voitures terriblement sportives passaient aussi avec leurs copains sur la banquette. Mais à cause de la puissance du moteur ça ne durait jamais qu'un instant, bien vite on n'apercevait plus au loin que les passagers assis à l'arrière qui gueulaient des chansons de leur âge, oh! comme c'était beau, toute cette extrême jeunesse filante!

À un moment, Joëlle a penché sa tête sur mon épaule, puis en observant le ciel elle a dit avec un peu de mélancolie qui sortait en même temps que les mots *Je me demande ce que pensent les gens qui nous regardent de là-haut.* Mais parce qu'il y avait dans sa question un peu de la prière de monsieur Molinari, je ne savais quoi répondre. Ensuite la nuit est arrivée.

À l'époque où ces événements se passaient, mon frère avait dix-sept ans. Il vivait dans un grand corps qui lui servait beaucoup, sauf pour la tête. Car Jules était un demeuré, comme on dit, c'est-à-dire que la naissance ne lui avait pas fourni tout le nécessaire psychologique pour penser et agir raisonnablement comme les gens normaux, mais était-ce si malheureux après tout? Au milieu de ce corps grouillaient des poulies, des pompes, des roulettes, des moulinets, des manivelles, des ventouses, des courroies, des goupilles et plus encore, tout un mécanisme prodigieux qui gardait mon frère vivant et adoré de Joëlle et moi. Avant qu'il soit malade tout allait bien, et en plus mon frère était la bonté même. C'était une bonté supérieure, que maman avait dû lui verser dans le sang à grands coups d'hérédité juste avant la naissance, car elle aussi était bonne.

Mais parlons encore du corps, puisque sans lui rien n'existe. Celui de mon frère debout partait du plancher pendant un mètre et demi jusqu'à la tête environ. Sa tête, justement, n'étant pas remplie comme toutes les autres, servait surtout à contenir diverses facultés d'émerveillement ainsi

que beaucoup d'enfance indestructible, un équili-
briste, un avaleur de feu, des chevaux buvant aux
rivières, un arbre solitaire, un sac de mauvais
temps, une armoire de colère passagère, deux ou
trois tiroirs d'inquiétude, quatre souvenirs, un
jour de mai quand maman est morte, une multi-
tude de chiens et aucune retenue quand il s'agissait de s'attacher aux gens. Sur les côtés, les bras
enlaçaient tous les chiens qu'ils rencontraient,
car Jules trouvait tous les chiens formidables avec
leurs yeux qui vous regardent remplis de questions, d'indulgence et de sentiments pour la nature
humaine. Vers le bas, ça continuait avec les deux
jambes promenant mon petit frère sur la Terre et
marchant sans relâche à la rencontre de la beauté,
des gens et des chiens. Quand il trouvait l'un ou
l'autre, son visage s'allumait, grâce aux sourires
qu'il gardait toujours en réserve sur les lèvres.
Puis dans ses yeux aussi quelqu'un mettait le feu.

Tel était son portrait, et parfois aussi le soleil
arrivait et dormait dans ses cheveux.

Trois jours plus tard ça n'allait pas mieux pour Jules, sous les couvertures on aurait dit qu'il souffrait plus que d'habitude. En arrivant à son chevet le docteur M'Bélélé a tout de suite collé son oreille entre les omoplates du petit, puis il lui a demandé de dire *Trois triplets très tranquilles.* Après il a allongé le corps affaibli de mon frère sur le lit, et alors il a sorti l'entonnoir à tuyau de sa trousse puis il s'est mis à lui écouter le contenu. À la fin, le docteur M'Bélélé a remonté les couvertures sur mon frère puis il s'est relevé en disant d'un air grave *C'est bien ce que je craignais, vraiment. À force de rester là-dedans, la tourterelle a provoqué un détraquement du tourne-disque intérieur.* Et après un silence il a ajouté *Je lui donne encore trois autres jours, vraiment, et s'il ne va pas mieux il faudra l'opérer.*

Dedans Jules on entendait la voix sourde de la tourterelle qui chantait sa chanson moderne avec beaucoup de spleen dans les mots :

Cherchant l'adresse
Sur l'étiquette
Voyons voir
Se demande la cigogne
Où dois-je livrer
Cette éprouvette ?

L e lendemain, Léon est venu sur le palier gratter à la porte. C'était une grosse bête noire et ahurie, affectueuse avec les humains, enfouie sous les poils avec des sourcils grisonnants et une barbe rousse où pendait en permanence une langue démesurée. Pour la race on n'aurait pas su dire, ça ressemblait à un raccourci entre le labrador et le chevreuil, sauf pour les oreilles molles sur les côtés de la tête plutôt que franchement dessus. En dessous de Léon les pattes touchaient presque toutes le sol, sauf une à l'arrière qui avait été abîmée par un accident et qui rappelait le mobilier de monsieur Molinari quand il ne rejoignait pas le plancher. Pour finir il faut aussi parler de son regard qui vous traversait le corps tellement l'intelligence avait élu domicile à l'intérieur. Dans ses yeux brillait aussi en permanence une lampe en signe d'espoir d'obtenir un biscuit, car cette brave bête aurait fait des kilomètres pour mordre dans un *Milk Bone*. En ce qui concerne le prénom, nul ne savait d'où ça sortait, mais un jour avec Joëlle on avait versé sur sa bonne tête un grand verre d'eau pour confirmer le baptême, et pendant ce temps Léon était resté debout les yeux fermés.

Quand il a gratté à la porte, Joëlle est allée ouvrir en souriant, même si pour elle la nuit avait été difficile avec Jules qui n'avait pas beaucoup dormi. Alors Léon s'est dirigé vers la chambre avec sa langue qui pendouillait au rythme de la polka que sa patte arrière communiquait à tout le reste de la carlingue. Aussitôt la porte de la chambre ouverte, Léon a couru vers le lit en jappant pour dire *Bonjour* à son vieil ami mon frère. Puis, pour la première fois depuis longtemps, Joëlle et moi on a vu un sourire sur le visage du petit et cette lumière de joie complète dans ses yeux. Ensuite Jules a serré faiblement ses bras d'adolescent malade autour du chien, et à l'arrière de Léon la queue a redoublé de frétillements.

C'était quelques mois avant que la tourterelle n'arrive dans mon frère. Un jour, à cause des ennuis d'argent de monsieur Molinari, j'ai dû quitter mon boulot chez lui. Ce jour-là, au Garage Molinari, il me dit *Jérôme, assieds-toi un instant, j'ai à te parler.* Il avait sa tête d'enterrement avec les sourcils descendus jusqu'au regard pendant que les mains se frottaient fébrilement l'une contre l'autre à la recherche de quelque chose à dire. Allait-il se mettre à prier, c'est la question qui vous venait, car tout tremblotait sous les vêtements. Et voilà que ses pas l'entraînent à leur suite dans une étourdissante promenade nerveuse autour du bureau. Puis, à force de trac, sa respiration commence à siffler dans les poumons comme une locomotive qui arrive. Enfin, tout le corps se dirige vers la chaise et s'y assied dans le plus vif embarras.

C'est à ce moment qu'il m'a raconté pour ses dettes terribles et son loyer qu'il n'arrivait plus à payer parce que le banquier refusait de lui prêter davantage. Se prenant la tête entre les mains pour illustrer son désespoir, il me dit *Jérôme, je suis coincé, ce fumier de banquier me tord le cou, à partir de demain je ne peux plus te prendre au garage, ce soir je ferai une prière pour toi, ta femme et ton frère*. Ensuite il s'effondre et il commence à sangloter terriblement, ça mouille tout sur le bureau.

Pendant une minute j'ai cherché quoi lui dire, puis c'est venu. *Allons, allons*, dis-je, déprimé jusqu'au squelette et la tête vidée de vocabulaire. Et encore une minute plus loin : *Tout finit toujours par s'arranger*.

Comme réconfort on n'avait jamais vu plus nul.

Le soir, à table, quand Joëlle a vu que je brassais en rêvassant les morceaux de potiron dans la soupe, elle a posé sa main sur la mienne puis elle a demandé *Quelque chose te tracasse, Jérôme ?* Avec Joëlle on ne pouvait pas brasser le moindre morceau de potiron sans qu'elle ne devine tout, elle le savait toujours quand ça clochait à l'intérieur des gens. J'ai poussé mon bol et j'ai répondu *Tout à l'heure, monsieur Molinari m'a demandé de ne plus revenir travailler pour lui désormais. À cause de son banquier qui ne veut plus lui prêter d'argent et de toutes ses dettes qui l'obligent à rester dans ce HLM au plancher en pente raide, il n'y a plus de boulot pour moi au Garage Molinari.*

Alors elle a perdu son sourire si doux, et elle s'est mise à remuer ses morceaux de potiron à son tour. Pendant quelques minutes elle n'a plus dit un mot, c'était inutile, et de toute façon Joëlle ne parlait jamais beaucoup à la fois, sauf exception. On aurait dit que pour elle la pompe à paroles ne servait jamais qu'en dernier recours, qu'elle préférait toujours faire comprendre autrement aux gens la petite activité volcanique intérieure qui la gardait vivante, comme si les mots que fabriquait son corps ne devenaient utiles que lorsque les gestes ne suffisaient plus à la tâche. Car Joëlle préférait toujours faire un geste plutôt que de dire quelque chose, c'était une fille remplie de mouvements humanistes qui parlaient d'eux-mêmes avec leur action apaisante sur le cœur et leur courant électrique bienveillant sur l'envie de continuer à vivre. Souvent les voisins venaient frapper à la porte pour lui raconter leurs ennuis, et alors après les avoir longtemps écoutés, Joëlle avait pour eux des gestes minuscules et immenses à la fois, par exemple un sourire chaleureux, une main tendue, un regard de compréhension. Toujours elle puisait au milieu d'elle-même dans son entrepôt d'humanisme, puis elle en sortait des trucs inestimables : du courage, de l'indignation, de la joie, de l'intuition, du doute, de la vulnérabilité.

Ensuite, lâchant sa soupe, elle a laissé sa main sur ma main puis elle est venue poser un baiser sur mes lèvres qui ne savaient que dire, comme chaque fois.

Et puis il y avait toujours en elle un lac paisible, avec le monde qui se reflétait sur les vaguelettes. On y voyait aussi le ciel, et voilà pourquoi la paix de Joëlle était sans cesse troublée, car les choses terrestres ne sont pas faites pour s'entendre avec les choses célestes. Quand elle était triste, Joëlle disait souvent *Comme ce serait bien, parfois, de réconcilier le ciel et la Terre!* Mais bien sûr on n'y pouvait rien, on ne pouvait pas vivre dans deux univers à la fois, il fallait choisir : le silence du ciel ou le vrombissement du monde. Parce qu'elle aimait tant la lumière sur les choses, la chanson du vent dans le soir, l'odeur des fleurs quand elles poussent malgré tout, l'immobilité tranquille des arbres, la couleur de l'aube au moment où le soleil s'en mêle, parce qu'elle aimait tant tous ces trucs vivants, Joëlle avait choisi le monde. Mais toujours il lui restait un morceau d'attirance pour le ciel, c'était comme si elle devinait encore des lieux de l'autre côté de l'horizon avec son regard. Pour moi c'était différent, je ne me dépêtrais que dans le bruit que fait la réalité, j'étais sans cesse occupé à déchiffrer la détonation des choses terrestres à l'intérieur de moi-même. Et j'avais beau regarder et regarder encore au-delà de l'horizon, j'avais beau tendre l'oreille comme un fou, jamais rien ne venait, et toujours je restais avec mes oreilles tendues et vides, si vides.

Dehors l'été mourait tranquillement. La nuit tombait, derrière les usines la clarté des quartiers riches commençait à se refléter sur le ciel, et pendant un moment, les yeux plissés au-dessus de nos bols refroidis, on a regardé cette lumière envelopper les choses au loin là-bas.

Plus haut, trois étoiles ont pris feu.

L e lendemain du congédiement, Joëlle a dit *Allons nous promener avec le petit*. Alors avec mon frère on a pris par les rues tous les trois, et aussi parfois les ruelles pour voir les enfants s'amuser avec des riens sous le soleil. Au coin du boulevard quelques voisins avaient organisé un bazar, chacun essayait de vendre sa petite marchandise en posant sur chaque objet une affichette qui disait *aubène, fau vandre*, ou alors *faite une offre et sait à vou*. Au milieu de tout ce bric-à-brac il y avait monsieur Poussain avec sa cigarette et sa casquette au coin des lèvres et sur la tête, je ne l'avais jamais vu autrement qu'ainsi coiffé et fumant, fumait-il jusque dans son bain, dormait-il avec son couvre-chef? Quand il nous a aperçus il a crié d'un seul côté de la bouche parce que l'autre servait de perchoir à sa Marlboro *Quoi de neuf, les tourtereaux?* On s'est approchés, puis il nous a serré la main tout en allumant une nouvelle cigarette avec le mégot de la dernière et en demandant cette fois *Quel bon vent vous amène?* Quand on voyait les dizaines de mégots écrasés à ses pieds et toutes ces bouteilles de bière vides sous sa chaise, on était étonnés qu'il puisse encore tenir debout. Mais c'était un homme au corps résistant de partout, y compris les mains qui inventaient sans cesse des objets fabriqués de leurs dix doigts et sortis de son imagination inépuisable et altruiste. Tout de même, il avait une petite faiblesse : ses genoux étaient envahis par l'arthrite et ne pliaient plus sur commande. À part cet ennui de santé squelettique, rien ne semblait jamais le miner, monsieur Poussain avançait dans l'existence avec confiance. Ensuite il a encore posé une question, il ne parlait jamais qu'à coups de questions, pour lui l'art de la conversation consistait à mettre un point d'interrogation au bout de toutes ses paroles. En désignant fièrement l'engin qu'il désirait vendre au premier venu, il a dit *Vous avez vu la machine à coudre que j'ai bricolée? Le caporal Breadbaker m'a fourni les pièces et j'ai assemblé le tout, pas mal, hum?*

Alors Joëlle s'est mise à examiner la machine en réfléchissant. Ça ressemblait à une boîte avec un moteur à l'intérieur comme une cervelle, relié à une moulinette sur le dessus qui cousait les vêtements au milieu d'un bruissement d'arbrisseaux si on tournait la manivelle. Ça se nourrissait de morceaux de tissus choisis puis taillés par vous quand venait le temps de se mettre au travail, et chaque fois qu'une couture était nécessaire une aiguille habilement conçue pour ce boulot piquait les morceaux tel un pivert inlassablement. Sur la droite, tout près de la main, une petite porte s'ouvrait à volonté et dévoilait un compartiment contenant un festival de bobines de fil servant à faire tenir ensemble le pantalon à coudre, ou tout accoutrement. Et puisqu'il est question du fil, celui-ci sortait du compartiment sur demande et courait le long de l'habit naissant, non sans être guidé sans relâche par l'aiguille opiniâtre. Dessous la boîte, quatre pattes partaient des quatre coins en direction du sol pour permettre de s'asseoir devant et ainsi coudre. Mais le plus magnifique et aussi le plus mystérieux, c'était ce tiroir sur le devant, à hauteur du foie environ, où s'entassaient des milliers de notes musicales dans le plus grand désordre tant et aussi longtemps que vous laissiez le tiroir fermé. Puis vous ouvriez, et alors les notes sortaient avec beaucoup de discipline à présent pour aller se placer mathématiquement dans l'air tout autour, oh! comme c'était beau toutes ces chansons semblables à de petits dirigeables émotifs flottant au-dessus des cheveux!

À la fin Joëlle a dit *Vous me la feriez à combien?* et monsieur Poussain a répondu *Ma foi, combien vous m'offrez, mademoiselle Joëlle?* Alors Joëlle a répliqué *Oh, de toute manière, je n'ai pas ce qu'il faut aujourd'hui, mais peut-être pourrais-je vous payer petit à petit, quand j'aurai vendu assez de vêtements?* Il a débouché une autre bouteille, il a fait *Hum, et comme couturière, vous pensez faire de bonnes affaires?* Joëlle a souri, et puisqu'elle était heureuse j'ai souri aussi.

Alors on a pris chacun une patte de la machine et on a marché tous ensemble sur les trottoirs en riant parce que monsieur Poussain n'avançait plus très droit après toutes ces bouteilles sous sa chaise. Une fois devant le HLM j'ai dit *Merci, monsieur Poussain, merci beaucoup.* Une petite lampe de plaisir s'est allumée dans son œil, puis il a dit avec encore un point d'interrogation au bout des mots *Soyez heureux, les enfants, hein?* et pour une fois ce n'était presque pas une question, ça se rapprochait plutôt d'une consigne. Ensuite il est retourné au bazar en chantonnant quelque chose, c'était un homme chantant à tout moment, même quand son arthrite le reprenait, et qui avait une pleine boîte d'insouciance dans la poitrine.

Puis Joëlle, Jules et moi on a monté la machine dans la cuisine et on l'a placée devant la fenêtre. Joëlle s'est assise aux commandes, il y a eu de la lumière dans ses cheveux, en bas dans la rue on entendait les bruits vivants du quartier. C'était le temps parfois difficile mais tout de même paisible d'avant le tourne-disque de mon petit frère et de sa tourterelle triste intérieure.

Dans les jours suivants, puisque je n'avais plus de salaire, Joëlle a commencé à fabriquer des vêtements pour les gens. Le matin, elle se levait avec l'aube et elle venait s'asseoir à la machine, et pendant que le soleil montait lentement derrière les maisons elle assemblait une salopette d'ouvrier, un tablier d'épicier, une combinaison de mécanicien ou encore un pantalon. Souvent, au bout d'une heure, elle levait les yeux et s'apercevait que le jour était revenu : au loin, derrière les usines, les lumières des quartiers riches avaient cessé de se refléter sur le ciel. Dans les rues, à présent, les choses étaient toutes recouvertes du même éclairage et on pouvait recommencer à croire en l'égalité des hommes sur la Terre : avec son costume de lumière égalitaire, le jour n'était jamais discriminatoire, c'était sa façon de réconforter les gens.

Puis Joëlle retournait au vêtement qui attendait entre ses doigts. La journée passait ainsi, et souvent le soir elle s'endormait sur un pantalon. Vers les dix heures, Jules ou moi-même on devait venir lui secouer l'épaule pour la tirer du sommeil, et tous on allait se mettre au lit. Plus tard au cours de la nuit, des souris grises venaient ouvrir le tiroir et restaient sur la machine pour écouter les chansons. Parfois, quand le sommeil tardait, je me levais et venais les épier dans l'embrasure de la porte. Je les voyais qui dansaient, leurs petits dos arrondis luisant au milieu des reflets énigmatiques de la lune.

L e troisième jour, le docteur M'Bélélé est donc revenu, et Léon en a profité aussi pour entrer. À présent, Jules perdait des forces et beaucoup de poids par-dessus le squelette. Les côtes, par exemple, devenaient chaque jour plus visibles sur les flancs de mon frère, et quand Léon frottait sa grosse patte noire dessus, ça faisait un accord de guitare mélancolique. Dans la pénombre de la chambre le docteur M'Bélélé a tâté le poignet de Jules tout en regardant l'heure à sa montre pour savoir si le pouls était ponctuel. Mais parce que le front du docteur M'Bélélé était tout traversé de vaguelettes d'est en ouest trahissant son inquiétude, on devinait que ça ne martelait plus convenablement à l'intérieur de mon frère. Après, il lui a levé la paupière avec le pouce, puis il a regardé jusque dans le fond de la tête pendant un moment. Au-dessus de la cargaison psychologique limitée de Jules, on a vu alors un nuage mauvais rempli de pluie drue, prête à tomber d'un moment à l'autre, et c'est pourquoi le docteur M'Bélélé a aussitôt sorti de sa trousse un baromètre pour le lui appliquer sur le crâne. Puis, quand il l'a retiré, on s'est tous penchés pour voir le résultat et ça indiquait *Gros temps à l'horizon.* Ensuite le docteur

M'Bélélé a couché Jules sur le ventre, et avec la jointure de son index replié il a frappé doucement partout sur le dos en écoutant attentivement l'écho. À tous les coups ça sonnait creux comme un violoncelle, avec des régions où ça se rapprochait de la coque d'un paquebot.

À présent, avec les jours plus froids, on ne pouvait plus ouvrir, mais à cause du bois vermoulu qui laissait tout passer autour des fenêtres on sentait une odeur de feuilles roussies qui montait de la rue, et aussi des bruits de fins de choses. Partout l'été mourait. Allait-il jamais revenir? C'était une question qui vous venait.

À présent, le docteur M'Bélélé était penché sur mon frère avec son entonnoir à tuyaux dans les oreilles. À la fin il se redresse d'un air grave et il dit *Mes amis, j'ai la tâche ingrate de vous annoncer de fort mauvaises nouvelles, vraiment. Depuis tantôt la tourterelle sifflote une marche funèbre, c'est mauvais signe. Il faut emmener ce garçon à l'hôpital.* Alors Léon pose sa truffe noire sur Jules et ça fait un bruit de grosse caisse tellement mon frère se vide peu à peu de ce qu'il fut, comme font les gens qui se préparent à cesser de vivre.

Alors Joëlle et moi on a embarqué mon frère dans l'auto du docteur M'Bélélé. Quand ils nous ont vus sortir avec Jules enveloppé dans la couverture et marchant péniblement, les voisins sont tous descendus sur le trottoir avec leurs paroles de réconfort et leurs mains qui venaient nous caresser l'épaule comme un manteau de zibeline. Pendant qu'on installait mon frère sur la banquette, un concert de trombonistes a commencé derrière nous, du moins c'est ce qu'il nous a semblé au début. Puis on s'est retournés et on a vu les gens qui se mouchaient avec furie, car l'émotion était à son comble. Ensuite les femmes ont commencé à pleurnicher pendant que les maris avaient encore les yeux secs comme des pruneaux. Mais au bout d'une minute monsieur Lacuve s'est mis à sangloter lui aussi avec son épouse, puis tous les autres maris lui ont emboîté le pas. Pour les hommes c'est toujours un peu plus long avant que les sanglots arrivent, car nous n'avons pas, comme les filles, ce petit département des émotions vives situé à gauche du foie. Il nous faut plutôt, pour que l'eau commence à nous tomber sur le visage, nous fier à des mécaniques intérieures beaucoup moins précises, comme la rotative à pleurs, par exemple, si souvent coincée à cause de la poire à virilité vissée tout près.

Une fois installés on s'est mis en route vers l'hôpital, et c'est alors qu'un transatlantique est arrivé dans le quartier. C'était en tout cas le sentiment que ça vous laissait à cause du bruit de sirène énorme. Mais en y regardant bien on voyait que ce n'était encore que les voisins, le nez dans leurs mouchoirs. Au milieu de tous ces gens, ce brave Léon allait et venait et ne savait à qui donner son cœur, car chez les bêtes, nul n'est plus accablé qu'un chien quand il est témoin de la tristesse des humains.

En chemin, le docteur M'Bélélé n'a pas été très bavard, y compris lorsqu'il a décroché le combiné sur le tableau de bord pour appeler à l'hôpital. Une main sur le volant, il a dit à l'infirmière à l'autre bout *Charlotte, pour l'opération il me faudra deux litres de jus de rutabaga, vraiment.* Puis il allait raccrocher quand il a ajouté *Oh! et j'y songe : vous me trouverez également un kilo de bonbons à la moutarde.*

Ensuite l'auto a glissé silencieusement dans les rues. Sur la banquette, mon frère respirait de plus en plus difficilement maintenant. À mes côtés, Joëlle était penchée sur lui et lui caressait les cheveux en lui soufflant à l'oreille des mots sortis tout droit de sa pompe à courage, par exemple : *Tu verras, tout ira bien* et d'autres paroles minuscules. Dans les rues le vent s'était levé et s'enroulait autour des choses. Partout les commerçants avaient rentré la marchandise. Les beaux jours avaient fui à présent, et chaque soir la lumière s'enfuyait un peu plus tôt.

En arrivant à l'hôpital on a couché mon frère sur une civière, puis tout de suite le docteur M'Bélélé a dit à l'infirmier *Vraiment, c'est un détraquement du tourne-disque, emmenez-le-moi à la salle d'opération et que ça saute.* On a suivi la civière dans les corridors en pressant le pas. Dans les tournants, à cause du crissement des roulettes sur le linoléum, des portes s'ouvraient et le personnel sortait la tête en demandant *Qu'est-ce qu'il y a? Qu'est-ce qu'il y a?* Mais le temps nous manquait pour répondre en détail, et chaque fois l'infirmier disait promptement *C'est un détraquement du tourne-disque.* Alors tous faisaient *Oooh!* avec beaucoup de chagrin qui sortait de leur corps.

Finalement on a croisé une affiche qui disait *bouleversements, détraquements et autres désordres, tout droit,* puis au bout du corridor l'infirmier a poussé la civière dans la salle. On aurait dit un endroit pour les bals avec ses dimensions interminables et son lustre qui pendait au milieu pour éclairer l'opéré. Dans un coin il y avait un lavabo et des savonnettes à volonté afin d'arriver dans le corps du malade les mains impeccables et sans microbes dessus pour lui sauter à l'intérieur au moment de l'ouverture. Au centre, sous le lustre, on voyait une table pour y déposer Jules et les instruments utiles à la réparation de mon frère. Et puis, tout près, vous aviez aussi une télévision à brancher sur la poitrine et qui était très utile pour regarder comment le cœur s'y prenait pour vous maintenir en vie avec ses petits martèlements. À côté de la télévision, un ventilateur agrippait l'air avec ses grosses pales et le dévissait à perpétuité pour rafraîchir à grandes goulées le front du docteur M'Bélélé quand il se pencherait sur le corps. Ici et là, une fenêtre laissait entrer le jour qui venait ensuite s'étendre sur le plancher nettoyé à la perfection pour les mêmes raisons que les mains. Aux alentours de la table il y avait Charlotte, l'infirmière, avertie au téléphone pendant le trajet vers l'hôpital. Sans cesse elle allait et venait dans son costume blanc rempli à ras bord, car c'était une femme aux formes généreuses. En attendant l'ouverture de mon frère, elle se tenait prête à tout, s'affairant à mille tâches : vérification de savonnettes, classification d'instruments, branchement de ventilateur et tests de télévision.

Sur la porte c'était écrit *interdit aux visiteurs*, alors Joëlle et moi on n'a pas insisté. Quand même, on est restés à regarder par le hublot pendant que Charlotte a mis Jules sur la table de tout son long. Après une minute, le docteur M'Bélélé est arrivé derrière nous avec son survêtement de chirurgien vert, puis il a dit avant d'entrer *Vraiment, je ferai l'impossible, mais vous devrez être courageux*, et Joëlle a fait un sourire avec un mélange de reconnaissance et de tristesse au milieu. Ensuite il est allé se laver les mains sous le robinet et on a entendu tous les microbes hurler à cause de la mousse qui leur arrivait dans les yeux.

Tout d'abord le docteur M'Bélélé allume la télévision, et tout de suite le cœur de mon frère apparaît sous forme de martèlements, et ça fait *bip* à tous les coups. Car auparavant, une fois Jules étendu, Charlotte lui a branché la poitrine afin que la télévision capte en direct les déclarations cardiaques lui venant de la région épiée sur l'écran. Ensuite le docteur M'Bélélé remplit une seringue de jus de rutabaga, et quand l'aiguille entre dans le bras, mon petit frère sombre dans un sommeil préfabriqué.

À quoi peut-il bien rêver en ce moment ? me dis-je alors à voix basse.

Et comme s'il m'avait entendu de l'autre côté du hublot, le docteur M'Bélélé se penche et soulève la paupière de Jules avec son gros pouce noir congolais. Puis il se tourne vers nous et nous fait signe de venir voir un peu. Sous le lustre, Joëlle, le docteur M'Bélélé, Charlotte et moi on regarde à l'intérieur de mon frère. Dans cette tête hier encore abriteuse de tant de choses vivantes on ne voit plus qu'un chien solitaire, son regard de brave bête rempli de ces quatre soucis : le temps qui fuit à toutes jambes, l'inégalité entre les hommes, le mutisme du ciel, et surtout le rétrécissement de la beauté pendant que le monde avance et devient moderne.

À ce moment on a préféré retourner au HLM pour attendre la fin de l'opération, car toutes ces émotions ça commençait à vous tuer à l'intérieur. On a quitté la salle, on a marché en laissant derrière nous Charlotte et le docteur M'Bélélé ouvrant Jules d'un moment à l'autre pour fouiller dedans. Joëlle était appuyée à mon bras. Parfois, quand on rencontrait une fenêtre, une lumière triste venait se poser sur sa peau douce comme le ventre des moineaux. Le long des corridors, le personnel nous regardait passer et ne disait rien. Partout ce n'était que le silence inquiétant des grandes maladies quand elles envahissent le corps. Cette fois, aucun bruit de choses terrestres ne venait nous apaiser, le seul son qui nous arrivait sortait de sous nos pas quand nos souliers écrasaient les microbes et qu'ils se mettaient à hurler pendant l'hécatombe.

L e soir, à la maison, Joëlle a beaucoup parlé de mon frère avec des mots qui vous émouvaient quand ils venaient se mêler à la nuit. C'était des mots remplis de réalité et de sentiments pour décrire doucement Jules et sa tête qui ne servait pas aux mêmes choses que chez les autres gens. *Jamais il ne songe à l'argent ou au travail, jamais il ne souhaite suivre les modes, jamais il ne reste indifférent au sort des autres. Jamais il n'envie ceux qui peuvent s'acheter beaucoup de choses. Jamais il ne considère la guerre et la haine comme une solution, jamais il ne rêve d'avoir beaucoup de pouvoir ou d'autorité. C'est un garçon dont les rêves sont restés simples, qui ne peut concevoir la vie sans la beauté, et qui est peut-être en train de dépérir à cause du manque de beauté dans le monde,* disait-elle. Elle décrivait les choses simplement, et c'était des paroles avec beaucoup de jeunesse à l'intérieur des phrases, car Joëlle ne savait pas comment vieillir, même après trois décennies passées sur la Terre elle continuait d'être indignée par l'injustice et le fait que le monde devenait peu à peu une grande succursale bancaire.

Je suis resté longtemps dans le lit à l'écouter. Puis, vers les trois heures, elle s'est endormie finalement, et quelques-uns de ses mots sont restés encore un moment à flotter dans la chambre. À la fin mes paupières se sont fermées à leur tour, et juste avant le sommeil j'ai cru entendre les souris qui venaient ouvrir le tiroir de la machine à coudre.

C'était une maladie étrange, entrée je ne sais comment dans mon frère à la fin de l'été. Ce matin-là l'aube était arrivée, transportant des cris d'oiseaux qui venaient vous avertir qu'il était temps de quitter le sommeil. Alors les yeux s'ouvraient, et quelque part dans la poitrine on entendait une lampe faire *clic!* quand elle s'éteignait, car déjà ce n'était plus si obscur à l'intérieur du corps grâce aux paupières soulevées à présent.

Vers les six heures, sortant de mon lit, je vais retrouver Jules dans sa chambre. Le voici à la fenêtre, cherchant des yeux son meilleur ami, ce brave Léon. Mais en bas, à part les cris d'oiseaux et un peu de vent, partout ce n'était que le silence flottant comme un ruban énigmatique sur les choses.

Or, voilà que Jules jette un œil sur l'arbre planté au milieu du trottoir. Sur les branches, parmi les milliers de feuilles encore vertes, il y en a une qui est déjà jaune, car l'automne arrive bientôt avec sa lumière rapetissée et ses ciels mélancoliques par-dessus la Terre. Est-ce le vent ou la vieillesse, comment savoir, mais sur la branche la feuille tremblote comme aux dernières heures de l'existence. Je crois que c'est à ce moment que le corps

de mon frère a entrouvert une porte et que la maladie s'y est faufilée, quand il a vu, noyée parmi ses
sœurs vertes, cette feuille métamorphosée, comme
un signe du temps qui passe.

Entre les maisons on entendait le vent léger qui
passait, laissant sa chanson dans les oreilles longtemps après :

Avec les années
Nous retournons peu à peu
À notre état premier
De pissenlits
La preuve nos cheveux blancs
Dispersés aux quatre vents

Après mon congédiement, monsieur Molinari avait dû vendre son garage pour rembourser tout ce qu'il devait au banquier. Un jour, un homme est venu des quartiers riches et il s'est arrêté devant l'affiche que monsieur Molinari avait posée sur la porte. Ça disait *À vendre superbe garage*. Quand on connaissait la baraque, on trouvait que ça prenait un sacré culot pour mettre un adjectif pareil entre *à vendre* et *garage*, mais monsieur Molinari avait toujours été culotté, il le fallait pour croire en Dieu pendant que le monde continuait à exister avec ses malheurs sans relâche. Malgré tout, l'homme avait fait une offre, et après avoir réfléchi un peu, monsieur Molinari avait signé. Pendant que le stylo glissait sur le papier, de petites larmes sont tombées sur le contrat en plein sur les mots *déclare vendre*, parce qu'on ne travaille pas trente-quatre ans dans le même trou sans s'attacher, au moins un peu. Ensuite l'homme est reparti avec son cigare fumant et des projets plein la cervelle pour son nouveau commerce.

Puis monsieur Molinari est allé rembourser le banquier avec l'argent de la vente, et tout de suite il a commencé à chercher du travail. Deux jours plus tard, il fabriquait des pizzas chez Vittorini.

Au début, Joëlle et moi on a beaucoup rigolé de le voir essayer de faire tournoyer la pâte dans les airs. Pendant une ou deux semaines il s'en est envoyé des douzaines sur la tête, mais après les choses se sont arrangées.

Le soir, avec Jules, il nous arrivait de traverser chez Vittorini pour manger la pizza de monsieur Molinari, surtout quand les pantalons de Joëlle se vendaient bien. Au restaurant, si la clientèle se faisait rare, monsieur Molinari s'assoyait un moment avec nous sous les néons. À table, ensemble, on bavardait de la lumière qui diminuait. Souvent aussi il nous parlait de son Dieu, et alors oh! comme il aurait aimé nous convaincre, mais Joëlle et moi on préférait toujours ramener la conversation sur les gens qui vivaient dans le quartier et que son dieu ignorait avec beaucoup de persévérance. Une fois, tandis qu'on discutait, un chien s'est arrêté devant la vitrine. Par la porte entrouverte monsieur Molinari lui a jeté un bout de pizza, *Il faut être charitable envers toutes les créatures de Dieu, même les plus simples*, a-t-il dit de son air bourru comme toujours. Sur le trottoir, le corniaud a reniflé la pizza puis il s'est mis à aboyer après comme si c'était une bestiole ennemie, ensuite il a pissé dessus et il a continué sa route vers le boulevard. C'est la seule fois où j'ai vu monsieur Molinari utiliser à fond sa voix pleine d'autorité italienne pour enguirlander une créature de Dieu.

À la première heure le lendemain de l'opération, le docteur M'Bélélé a téléphoné pour dire que mon frère avait été ouvert tel que prévu et qu'à présent il devait rester à l'hôpital encore quelque temps. Car il fallait, disait-il, que Charlotte et lui puissent surveiller les martèlements sur l'écran et d'autres indices qui prouvaient que Jules survivait convenablement. Au HLM, après le téléphone, beaucoup d'eau est tombée sur les joues de Joëlle. Depuis longtemps, pour elle, mon frère avait cessé de n'être que mon frère. Avec les années, un lien beaucoup plus fort s'était formé, si fort qu'il avait fini par remplir à ras bord l'entrepôt d'amour maternel que Joëlle avait à l'intérieur de son joli corps.

Ce soir-là, quand la fatigue est finalement venue fermer les yeux de Joëlle, j'ai posé mes lèvres dessus, et alors un peu d'eau est encore sortie de sous les paupières. C'était comme mettre doucement le pied nu sur un petit raisin frais. Puis je suis resté un moment la tête sur l'oreiller à regarder le ciel par la fenêtre avec ses constellations qui clignotaient.

Au bout de deux jours on a pu aller visiter Jules. Dans la chambre, lorsqu'on a aperçu mon frère endormi sur le lit, avec le jus de rutabaga qui lui arrivait de partout dans les bras et l'écran qui faisait *bip* quand ça martelait en dedans, Joëlle et moi on est devenus tout pâles. Car que de désolation sur mon frère! Ça crevait vraiment le cœur de le voir allongé là avec le film de ses martèlements défilant à la télé. Pendant trois ou quatre minutes on est restés sans bouger, puis Joëlle s'est tournée vers moi et elle a dit, avec le moulin à inquiétude qui lui tournait au maximum à l'intérieur, *Jérôme, j'aimerais écouter*. J'ai dit *D'accord*, j'ai mis ma main sur son épaule, et alors elle a lentement ouvert le pyjama du petit. C'est là qu'on a vu la couture terrible que le docteur M'Bélélé avait dû faire sur le ventre. On aurait dit qu'un tracteur était passé par là, car il y avait sur le devant de Jules un sillon agricole extraordinaire avec ses traces de roues increvables de chaque côté. À perte de vue on ne voyait plus que mon frère recousu. Depuis le pôle sud du cœur jusqu'aux limites du territoire sexuel avec un léger détour pour éviter les parages du nombril, le bistouri du docteur M'Bélélé avait découpé la devanture en diagonale d'est en ouest, c'était terrible, oui terrible. À présent bien sûr Jules était raccommodé, mais allait-il tenir ensemble ? Car tout corps ainsi découpé devait sûrement hésiter un moment avant de fraterniser de nouveau avec le reste anatomique de lui-même, c'était une pensée qui vous venait devant un tel spectacle.

Très doucement, Joëlle s'est penchée en tournant la tête jusqu'à ce que son oreille touche la couture, puis elle a fermé les yeux et ensemble on a retenu notre souffle. *Alors ?* ai-je soufflé au bout d'une minute, indescriptible d'immobilité. Mais Joëlle ne répondait pas. Elle écoutait, le cœur rempli de petits clapotis émotifs.

Puis elle a souri doucement, et alors j'ai compris qu'à l'intérieur de Jules la tourterelle s'était tue. Je ne sais pas pour Joëlle, mais en moi il y a eu tout de suite ce petit carrousel qui s'est mis à tourner au rythme de ses chevaux multicolores et musicaux qui montaient et descendaient, surmontés de garçonnets et de fillettes en pleine enfance avec des bouclettes sur la tête. Ensuite le soleil est arrivé dans la chambre avec sa clarté et même un feu qui venait toucher les cheveux de mon frère semblables à une meule de foin prête à flamber, car Jules avait la chevelure jaune, lumineuse et verticale comme le jour et la paille. À ce moment Joëlle s'est approchée tranquillement de moi, et ses lèvres sont venues rencontrer les miennes dans la lumière, on aurait dit un défilé avec ses majorettes ouvrant la marche et les trompettes derrière, c'était si beau.

Et alors voici ce qui s'est passé : Charlotte est entrée pour ajouter un peu de solution de bonbon à la moutarde au jus de rutabaga ruisselant dans mon frère. Puis, en repartant, elle a mis sa main sur l'épaule de Joëlle et elle a dit *Tout ira bien, maintenant*. Car Charlotte comprenait le chagrin

des gens, je crois qu'elle portait au cœur d'elle-
même un alambic à compassion supérieur.

Tous les mois on allait frapper chez monsieur Poussain pour lui rembourser une partie du prix de la machine. Après le repas du soir, Jules, Joëlle et moi on prenait le trottoir en direction du boulevard. En chemin il fallait traverser le coin des putains, et sous les lampadaires, rue de l'Étoile, les filles nous accostaient toujours en riant, après tout c'était leur boulot, elles aussi avaient des choses à rembourser. Rendu au boulevard ça devenait un peu triste parce qu'on passait devant le Garage Molinari fermé maintenant. Le jour, des ouvriers venaient y faire des travaux de rénovation, et de très loin on entendait le bruit des marteaux qui cognaient sur les poutres à l'intérieur, sans parler des scies électriques qui faisaient un de ces boucans et des types qui criaient *Aïe!* quand leur marteau manquait la cible. Puis, le soir, les ouvriers repartaient avec leurs outils silencieux à présent et leurs doigts enrubannés. Qu'allait donc devenir le Garage Molinari? Parfois, quand les ouvriers étaient partis, on croisait le nouveau propriétaire avec son cigare qui venait constater l'évolution des travaux. Toujours il déroulait ses plans sur le capot de son auto rutilante en souriant pour lui-même, comme font les gens qui ont des projets pour l'avenir. Qu'allait donc devenir le Garage Molinari ?

Et puis on arrivait au HLM de monsieur Poussain. Le plus souvent, monsieur Poussain était debout sur le balcon, tout occupé à vider une bouteille et à fumer une Marlboro. *Quel bon vent vous amène, les enfants?* disait-il quand il nous apercevait dans l'escalier. Puis il nous faisait entrer chez lui pour nous montrer ses objets, surtout sa collection de calendriers. *Vous avez vu celui-là?* faisait-il fièrement en pointant du doigt celui-ci ou celui-là et en rajustant sa casquette. Le plus curieux, c'était que sur les calendriers la plupart des semaines n'avaient que six jours, presque toujours le mercredi manquait, mais monsieur Poussain n'avait pas l'air d'y attacher la moindre importance. Après, il nous offrait une bière et on refusait, et Joëlle disait *Je suis venue vous payer, monsieur Poussain.* Puis elle lui tendait la petite enveloppe fripée qui contenait l'équivalent de deux ou trois pantalons. Chaque fois il répliquait *Oh! Nous sommes donc déjà le quinze?* Pour lui, le temps ne semblait jamais se mesurer autrement que par les versements de Joëlle, c'était quand même étonnant pour un homme dont la maison était remplie de calendriers. Mais c'était ainsi, il ne lui venait jamais à l'idée d'utiliser sa collection pour calculer les jours, c'était un homme pauvre et aux ambitions modestes, c'est-à-dire sans plan d'avenir à dérouler sur un capot.

Une fois j'ai demandé *Monsieur Poussain, qu'est-ce que vous faisiez comme métier, avant chômeur?* Il a répondu *Moi? J'étais inspecteur de mercredis à la fabrique de calendriers, pourquoi cette question, mon gars?* Et j'ai dit encore

Qu'est-ce que c'est comme travail, inspecteur de mercredis? et il a répondu *Eh bien, à la fabrique c'est moi qui veillais à ce que tous les calendriers aient un mercredi, tu comprends?*

Mais avec toutes ces semaines de six jours sur ses calendriers, ce qu'on comprenait surtout c'était pourquoi un beau jour monsieur Poussain avait été flanqué à la porte de la fabrique.

E nsuite la soirée commençait, et quand la nuit
mettait le feu aux premières étoiles on allait
tous ensemble sur le balcon de monsieur Poussain
regarder le ciel pétiller. Là-haut, c'était d'abord la
constellation du Dromadaire à bottes qui appa-
raissait, ensuite venait celle de la Redingote, et
enfin vers les neuf heures surgissaient les dix-
huit étoiles du Marchand d'aspirateurs. Parfois,
au milieu de tout ce ciel suspendu, se faufilaient
des étoiles filantes, alors Joëlle disait *Vite, un vœu!*
Aussitôt, Jules et moi on fermait les yeux pour
emprisonner le vœu à l'intérieur, c'était la règle,
il fallait être rapide et bien se verrouiller les paupières avant que le météorite ne fiche le camp.
Pour plus de sûreté je me bouchais aussi les oreilles
et je fermais la bouche. Puis je restais là dans la
nuit, enfermé dans mon corps au milieu de sa
grande mécanique intérieure. Pendant ce temps, là-
haut, le Dromadaire, la Redingote et le Marchand
brillaient comme de petits feux de circulation
célestes au détour des galaxies. Puis j'entrouvrais
mes yeux et j'apercevais Jules et Joëlle riant de
me voir ainsi bouché, et ce rire ça faisait de petits
accords de guitare qui allaient se mélanger à la

lumière des étoiles, c'était un moment de joie complète, mon vœu était exaucé.

Dans l'obscurité on voyait la casquette et le sourire de monsieur Poussain, éclairés par le halo de sa Marlboro.

Pendant trois semaines le docteur M'Bélélé a observé les martèlements de mon frère à la télévision, puis, un vendredi matin, il a écrit au bas de son rapport : *Je crois que ça ira.* Cette fois ça y était, Jules pouvait rentrer à la maison.

Le jour de sa sortie, pour lui éviter une trop longue marche dans les rues, on s'est offert un taxi avec l'argent d'un versement, monsieur Poussain comprendrait. En attendant le taxi, Joëlle a regardé le reflet de son visage dans la vitre, puis elle a replacé ses cheveux, et avec un rien d'inquiétude elle m'a demandé *Tu me trouves belle ?* parce qu'elle doutait toujours de l'original quand elle voyait la copie dans le miroir. Alors je me suis approché et je l'ai embrassée pour lui faire comprendre combien la question était si formidablement inutile, puis j'ai enserré sa taille menue et elle a ri, car il faisait bon vivre, elle était aimée et Jules était guéri.

Mais en bas le taxi a klaxonné, et le chauffeur, sortant la tête, a crié *C'est pas que je soille pressé, mais faudrait vous grouiller!* Alors on est descendus rondement, et c'est seulement quand on a pris place sur la banquette arrière qu'on a remarqué un type côté passager. Exactement là, le chauffeur a dit au gars *Tu peux y aller, Raymond.* Et alors Raymond s'est mis à compter tout haut *Un dollar vingt-cinq... Un dollar cinquante...*, bref, à faire le compteur. Se retournant, le chauffeur a dit *C'est mon beau-frère Raymond, il est en chômage, pour arrondir ses revenus je le prends comme compteur les vendredis. Ousqu'on vous emporte?* Ensuite, comme s'il venait de remarquer quelque chose, il nous a examinés avec plus de concentration, et peut-être parce que le petit feu émotif de tout à l'heure n'avait pas encore tout à fait fui notre regard, il a souri soudainement, il a dit *Ah, ça fait plaisir de voir des jeunes gens amoureux à notre époque si désastreuse!* Puis il a démarré, et en ne regardant presque jamais devant il nous a raconté avec de grandes déflagrations de rire son mariage qui durait depuis trente ans malgré une panne ou une crevaison ici et là, *Mais oh! quoi qu'il en soille, qui n'a jamais d'embêtements* matrimoniaques *dans la vie?* disait-il, pendant que Raymond continuait à compter.

À six dollars soixante-quinze le taxi s'est arrêté devant l'hôpital, et Joëlle et moi on est sortis sur le trottoir. Le chauffeur a baissé la vitre, et sous le soleil j'ai demandé *Vous nous attendez? Le temps de débrancher mon frère de la télévision et on revient tous les trois sur la banquette.* Mais en se secouant l'index comme si le feu était après, il a dit *Ah! mais c'est que Raymond doille-t-être au bureau de chômage dans une heure!* Alors en lui tendant l'argent j'ai dit *Mes amitiés à votre épouse!* Puis il a encore eu une petite explosion d'hilarité, c'était toujours comme si les mariages qui durent le faisaient crever de rigolade, ce taxi. Ensuite il a redémarré, il s'est tourné côté passager et il a dit *Ça va maintenant, Raymond.* Et Raymond a murmuré *Zéro.*

Après, avec Joëlle, j'ai grimpé les marches de l'hôpital, dans l'air on sentait que l'hiver arrivait, d'un moment à l'autre les premiers flocons tomberaient sur la tête des gens. À la porte, parce que j'allais enfin revoir Jules sur ses deux pieds, mon cœur a tapé sur le tambourin plus fort que d'habitude dans la région sentimentale de la poitrine.

Par les fenêtres dans la section des détraquements on a vu la neige commencer à tomber sur le quartier, ça faisait de minuscules pépins de lumière frigorifiée qui dégringolaient sur le monde. Quand ils s'écrasaient au sol, certains flocons prenaient racine, et presque tout de suite de petits arbres à tuques ou à mitaines surgissaient de la terre. Puis des enfants accouraient et, cueillant les tuques et les mitaines aux branches, se couvraient la tête et les mains en riant un bon coup, ou sinon ils flanquaient des mornifles aux autres parce qu'il n'y en avait pas encore assez pour habiller tout le monde.

Quand on est entrés dans la chambre, Jules était assis sur une chaise pour la première fois depuis des semaines, ça faisait vraiment plaisir de le voir enfin éveillé et à nouveau capable de regarder par la fenêtre. Un peu plus tôt, Charlotte l'avait aidé à enfiler ses vêtements, car sa devanture encore en pleine convalescence anatomique l'empêchait d'étirer les bras pour mettre sa chemise avec adresse. Quand il nous a aperçus, il a souri si fort que tout son visage a emboîté le pas, et même si ces choses-là se disent rarement entre frères, j'ai dit *Tu es si beau!* Surtout qu'il avait les cheveux placés avec de l'eau par Charlotte et ses longues mains d'adolescent sur les genoux. Alors Joëlle a souri aussi, puis d'un petit pas ému elle a couru à sa rencontre pour serrer dans ses bras mon frère souriant et amaigri. Ensuite je les ai rejoints, et à mon tour j'ai mis mes bras autour de Jules. À nous trois ça faisait six yeux d'où tombaient de petites gouttes d'eau émotives.

Pour rentrer à la maison, Joëlle a voulu appeler un autre taxi, mais derrière nous, à la porte, le type de tantôt a dit en s'épongeant les yeux *Bon, c'est pas tout de s'émouvoir, y a Raymond qui* doille-t-être *au bureau de chômage dans une demi-heure, alors vous venez?*

Puis, accompagné de Raymond, il nous a déposés tous les trois au HLM, et quand j'ai voulu payer la course il a encore secoué l'index, il a dit *C'est pas tous les jours qu'on rencontre des gens portés sur le sentiment. Allez, vous ne me devez rien, faites comme si Raymond n'avait rien dit, filez, filez, filez!* Ensuite voilà qu'il redémarre et qu'on lui envoie la main sur le trottoir, les pieds dans la neige jusqu'aux chaussettes. Puis, se souciant encore une fois très peu de la route là devant, il sort la tête par la fenêtre et il crie *Ce qui compte dans la vie c'est qu'on* soillet-amoureux! Jules, Joëlle et moi on a ri, les cils pleins de flocons, car ça continuait de tomber depuis tout à l'heure.

Au coin du boulevard le taxi a disparu, alors on a marché jusqu'à la porte du HLM, et en chemin, avec toute la neige qui atterrissait sur nos cheveux, ça nous faisait une vieillesse momentanée à cause du blanchiment subit.

L à-haut, monsieur Molinari nous avait préparé une surprise. La veille il avait reporté son dimanche de congé à aujourd'hui, puis, pendant que Joëlle et moi on était allés récupérer Jules à l'hôpital, il a décoré le palier. Il a également frappé chez tous les voisins, et à chacun il a demandé de venir participer à la surprise, offrant à tous une petite flûte déroulante avec musique incluse quand vous souffliez dedans. Pendant une heure tous sont restés debout sur le palier à attendre notre retour malgré la moyenne d'âge considérable, mais vers la fin le nerf sciatique de madame Bérimont s'est déclenché, et cinq volontaires ont dû la transporter dans son lit, avec escales en chemin, parce qu'en kilos ça devait faire dans les cent vingt-cinq. Dans le tas, plusieurs étaient déjà plus ou moins en pyjama, parce que souvent les vieilles personnes sentent venir le dernier repos, et alors elles s'exercent. Sauf exception, tout le HLM était donc réuni devant notre porte quand on est arrivés là-haut avec mon frère réparé d'est en ouest. À ce moment, et avec monsieur Molinari comme chef de chorale, tous ont commencé à chanter *Bienvenue, bienvenue chez vous*, sauf le très amnésique monsieur Lacuve qui avait oublié les mots de la chanson, son nom, et même celui de sa femme qui le tenait par le bras pendant le refrain. Comme autre exception il y avait aussi ce bon monsieur Lopez qui s'était mis à chanter *Mon fils, voici des saucisses* sans s'en rendre compte, parce que dans son oreille la pile de l'appareil était à plat depuis un quart d'heure.

On a écouté la chorale, on a secoué nos cheveux, et tout de suite la jeunesse nous est revenue sur la tête. Ce n'était pas comme tous ces braves gens devant nous et leur neiges éternelles sur le crâne, même si on leur secouait la cafetière, les jeunes années ne leur reviendraient plus, maintenant. À la fin on a dit *Merci* avec beaucoup de sourires qui arrivaient sur nos lèvres, on a soufflé dans nos flûtes pour dérouler la musique emprisonnée dedans, et monsieur Molinari a branché son tourne-disque. Alors les gens se sont mis à danser sur les trente-trois tours mais il fallait voir ça : à cause de la moyenne d'âge, la plupart se contentaient de se gratter sur le coude ou la fesse, ou alors ils faisaient de petits cercles dans l'air avec les rotules. Seuls monsieur Molinari et Joëlle tenaient le rythme de la rumba, tout ça sur le palier devant la porte.

Appuyé sur la rampe de l'escalier, Jules tapait des mains et continuait à sourire mais sans danser, parce que sa devanture ne lui permettait pas encore de s'agiter à ce point le contenu.

Parfois le vent qui cognait contre la vitre me réveillait la nuit, et dans le lit je cherchais Joëlle avec ma main. Quand ma main ne trouvait rien, je tendais l'oreille, et alors j'entendais la machine à coudre dans la cuisine. Le réveille-matin indiquait deux, trois ou quatre heures. Depuis le repas du soir, Joëlle n'avait pas arrêté. Parfois je me redressais dans le lit et j'écoutais les souris qui, à cause de l'hiver revenu, tentaient de se réchauffer en allant et venant vitement dans les murs de la maison. Aux heures les plus profondes, on voyait souvent l'une d'entre elles prendre un raccourci et traverser la chambre en passant sous le lit, un étui à violon sur le dos. On devinait que c'était une souris assez vieille, à cause de son pas un peu flegmatique qui rappelait celui des voisins de palier quand ils sortaient pour les courses. Sur sa tête, un buisson de poils gris trahissait aussi son âge avancé. Puis elle disparaissait par un petit trou dans le mur d'en face, alors toutes les autres arrêtaient leur course et se rassemblaient dans un coin pour le concert, et après un silence on entendait entre les cloisons les notes mélancoliques du violon qui commençaient. Les souris aussi étaient donc un peu tristes, la nuit ?

Ou alors, si les souris dormaient déjà, j'allais à la fenêtre et je regardais la nuit répandue sur le ciel. Le nez contre la vitre, je pensais beaucoup à monsieur Molinari et à son réservoir de réconfort métaphysique. Seulement j'avais beau chercher un signe dans la Redingote ou le Dromadaire, tout demeurait silencieux, et à la fin je retournais bredouille sous les draps.

Pour accélérer la guérison, le docteur M'Bélélé avait prescrit la beauté à mon frère. Le jour où on a quitté l'hôpital il nous a glissé à l'oreille, à Joëlle et à moi, *Il faudra lui faire prendre un bain de beauté chaque jour, vraiment. Dans les semaines à venir, faites-lui voir beaucoup de jolies choses, je ne sais pas, moi, des machins qui font vraiment plaisir à observer. Bien sûr avec ce qui court les rues de nos jours ça promet d'être assez difficile, mais il le faudra vraiment, il le faudra!* D'ailleurs c'était écrit au bas de son rapport : *Cure de beauté obligatoire*, souligné trois fois.

Dans les jours suivants, comme premier bain, Jules et moi on a pris par les ruelles, puis on s'est attardés un moment sur les chats errants au pelage rayé dans le mauvais sens à cause des mariages entre cousins et cousines. Il y avait aussi les autos rouillées dans les cours avec en dessous les jambes de quelqu'un qui dépassaient pendant la réparation, les enfants qui lançaient en rigolant des boules de neige dans la région sexuelle des pantalons raides comme du carton suspendus aux cordes à linge, les flocons qui tombaient sur le monde et qui s'amoncelaient sur les chapeaux des gens, bref des trucs qui faisaient vraiment plaisir aux yeux.

Au fil de la promenade on est arrivés sans faire exprès rue de l'Étoile dans le coin des putains, et tout de suite il y a eu cette petite clarté dans le regard de Jules. Était-ce un effet de la beauté, je l'ignore, pourtant la fille qui approchait n'était pas très bien moulée. Elle venait vers nous d'un pas de crabe, avec son soutien-gorge qui débordait d'enthousiasme et ses hanches qui dépassaient largement le rôle qu'on leur avait donné quand elles avaient été déposées sur les jambes. Son sourire aussi en faisait un peu trop à force de se mêler au chewing-gum qui lui sautillait entre les gencives, et c'était sans parler des lèvres à ce point enduites de rouge qu'on n'y croyait plus et qu'on se demandait si cette bouche pouvait réellement servir à ingurgiter de la nourriture aussi. Dans les cheveux on devinait une vie antérieure sous la teinture rousse. On avait peine également à ne pas détailler les jambes, qui transportaient le tout, car elles étaient presque nues malgré la météo, en tout cas en allant vers le haut jusqu'aux territoires obscurs de la sexualité humaine, tandis que vers le bas elles aboutissaient dans des chaussures aux talons si hauts que chaque enjambée exigeait beaucoup de savoir-faire. Et puis juste avec le postérieur qui la suivait de près on aurait pu écrire tout un chapitre tellement la matière était abondante, mais revenons à Jules.

Quand on est arrivés à la hauteur de la fille, il y a eu tant de clarté dans les yeux de mon frère que, tout content, j'ai dit *Merci mademoiselle, merci, grâce à vous aujourd'hui mon petit frère peut prendre un bon bain!* Et puis, je parle des yeux de

Jules, mais que dire de ses oreilles qui, à force de tant de sex-appeal déambulant rue de l'Étoile, commençaient à rougir au-delà de tout entendement, c'était si beau !

Mais il suffisait souvent de rester bien tranquille au HLM pour que les jolies choses fassent leur boulot de médicament sur Jules. Parfois, pendant que Joëlle fabriquait des vêtements chauds pour les gens, on s'assoyait, Jules et moi, autour de la machine avec elle, et on regardait les jolies choses arriver sur le trottoir. Par exemple, certains jours, des enfants se fabriquaient des châteaux forts, puis jouaient à perdre la vie en se lançant des boules de neige, des casques de soldats sur la tête, pour faire plus mort encore. Avant de mourir certains en rajoutaient et se tordaient les tripes en hurlant *Bon sang, je crève!* pour imiter le bruit que font les morts quand ils cessent de vivre pendant la guerre. À midi le trottoir était couvert de cadavres, mais quand les mères appelaient pour la soupe, les dépouilles se levaient et partaient à la course manger un sandwich, on reviendrait plus tard pour continuer de crever. Devant chez Vittorini il ne restait plus alors que le champ de bataille déserté par ses morts momentanément partis avaler un peu de nourriture, pour les yeux c'était si joli à voir cette vie qui faisait semblant de finir, semblant seulement. Parfois aussi, quand les gens n'étaient pas vigilants, leurs pieds perdaient la communication avec le sol, et aussitôt les jambes se révoltaient et cessaient alors de soutenir les fesses, qui s'effondraient sur la glace, et derrière le pantalon on entendait *crac*. Chaque fois, Joëlle faisait *Oh!* et s'agitait un peu, puis elle ouvrait la fenêtre et lançait *Vous vous êtes fait mal?* Mais à tous les coups les gens répondaient *Mais non, ça ira, ne vous en faites pas!* puis ils s'éloignaient et se pinçaient l'arrière-pays anatomique pour retenir le pantalon fendu. Alors Jules riait, et Joëlle et moi on échangeait un petit regard de joie paisible parce qu'on voyait qu'il était en train de prendre un bain.

Et puis Noël approchait, bientôt on irait acheter un sapin chez le caporal Breadbaker pour y accrocher des ampoules multicolores de la tête aux pieds.

C'était un magasin extravagant, avec, juste à côté, un hangar rempli de trucs qui ressemblaient à des rebuts mais que le caporal Breadbaker appelait *ses articles*. On y trouvait des choses hétéroclites, usées et désopilantes, entassées les unes sur les autres. Un jour j'avais demandé au caporal Breadbaker *Mais au juste, quelle est votre spécialité ?* et alors, bombant fièrement son torse musculeux, car il avait la carrure d'un frigo, il avait répondu *Tout*.

Le 23 décembre on est allés tous les trois chez *Breadbaker, choses et objets* pour acheter un sapin et des ampoules. Quand on s'est approchés du comptoir, Joëlle a dit *Bonjour, monsieur Breadbaker, comment allez-vous aujourd'hui ?* Alors, comme à son habitude, il a commencé à brailler. Depuis son retour de la guerre du Viêtnam, à tout bout de champ et sans crier gare, le caporal Breadbaker se mettait à sangloter à s'en décrocher la moumoute à force de secouer les épaules. Quand ça lui prenait, on voyait ses cheveux simulés qui dérivaient lentement sur son crâne pour dégringoler la plupart du temps sur l'épaule. C'était toujours un peu étrange, chaque fois on aurait dit une petite loutre ressuscitée qui quittait sa tête d'adoption pour aller faire un tour.

Avant de le connaître vraiment bien, ça surprenait quand même pas mal de voir un homme génétiquement si près du frigo pleurer comme une jeune fille à toute heure de la journée. Au début je pensais *Si le caporal Breadbaker pleure autant, qu'est-ce que ça doit être pour les chétifs !* Seulement c'était bien avant que je comprenne un truc : les chétifs peuvent être de sombres brutes et vice versa, on ne naît pas nécessairement avec le sentiment correspondant à l'emballage.

Une fois, pendant que je lui achetais une roue de vélo, il s'est encore mis à sangloter terriblement, alors j'ai demandé *Monsieur Breadbaker, pourquoi vous pleurez toujours même avec votre carrure ?* Et le voilà qui m'explique pour le Viêtnam, les camarades qui crèvent sous vos yeux à cause des grenades et des balles perdues, les innocents qu'il vous faut tuer à coups de mitraillette, les paysans à demi brûlés vifs dans les villages incendiés et que vous devez étrangler de vos propres mains pour abréger leur agonie, le napalm, les enfants qui fuient sur les routes, les copains qui reviennent au pays avec une jambe, un bras, un œil ou une oreille en moins parce qu'ils ont marché sur une mine, oui, c'était à pleurer, à pleurer, quel gâchis, la guerre, quelle duperie, le patriotisme ! Puis il a ramassé ses cheveux postiches sur le sol du hangar et il a dit *C'est comme ça, Jérôme. À force de voir tout ce malheur de si près, un beau jour les nerfs flanchent.* Ensuite il a replacé sa coiffure sans se soucier du nord ou du sud, et avec le toupet sur la nuque il a dit *Tu veux cette roue de vélo ? Allez, prends-la, je te la donne.* À cause du Viêt-nam c'était un homme qui croyait beaucoup à la bonté entre les gens maintenant.

Derrière le comptoir il s'est essuyé les joues, et j'ai dit *Monsieur Breadbaker, vous avez des sapins et des ampoules multicolores ?* Alors il nous a fait signe de le suivre dans le hangar. C'était un endroit dément, avec des objets poussiéreux empilés les uns par-dessus les autres qui montaient vers le plafond à force d'accumulation d'épaisseurs, comme un grand sandwich excessif. Il n'y avait pour circuler que de petites allées encombrées et très souvent bloquées par d'autres objets encore, car ça dégringolait de partout, et il fallait enjamber pour aller de l'avant dans les recherches. À tout moment on apercevait des rats qui nous regardaient passer avec indifférence, du grand-père au dernier-né vous les aperceviez, dodus et moustachus, un vrai ramassis de générations. Souvent, pour passer, le caporal Breadbaker devait tirer sur le bout d'un pare-chocs, d'un calorifère ou d'une tondeuse à gazon, et alors quelque chose d'autre venait s'écraser à ses pieds dans un fracas difficile à décrire. On se bouchait les oreilles, mais lui se mettait à chantonner quelque chose, entre ses crises nerveuses de sanglots vietnamiens il y avait régulièrement une petite centrale de joie de vivre qui s'activait à l'intérieur du caporal

Breadbaker. Finalement on est arrivés au fond et il a dit *Ah, le voilà, votre article !* C'était un manche à balai percé de petits trous, dans lesquels de vraies branches de plastique avaient été insérées pour faire croire qu'il s'agissait peut-être d'un arbre abattu en forêt véritablement. Pour faire tenir le sapin le plus verticalement possible et laisser croire encore davantage que cet arbre était dans un état normal, le caporal Breadbaker avait inventé un trépied en bois imitant les racines de l'arbre quand il tient debout dans la terre.

À ce moment il a eu une autre crise. Sans prévenir, les sanglots sont revenus, puis il a glissé sous ses fesses une caisse de bois et il s'est assis, les mains sur les joues remplies de sanglots, cette fois c'était du sérieux, la guerre lui revenait et lui remplissait à ras bord la cervelle, on en oubliait sa moumoute qui petit à petit quittait le crâne pendant ce temps. Alors Joëlle s'est assise avec lui sur la caisse. Sans dire un mot elle a posé sa tête contre son épaule, et avec ses bras elle a essayé de l'entourer mais rien à faire, Joëlle était si menue, ses petits bras n'arrivaient pas à faire le tour du caporal Breadbaker, ce camion. Pendant vingt minutes il a braillé, accompagnant ses pleurs de beaucoup de soubresauts du squelette, aurait-on dit, à l'intérieur quelqu'un semblait secouer les épaules au fur et à mesure que la tristesse continuait. Malgré sa carrure de frigo il ressemblait aux petits quand ils ont le cœur cassé, seulement ce n'était pas comme les enfants devant chez Vittorini, cette fois vous ne pouviez pas interrompre la guerre ou faire revivre les cadavres le temps d'un sandwich. Sous le crâne dénudé du caporal Brendan B. Breadbaker, la vie ne faisait jamais semblant de finir, elle finissait vraiment, ça oui, avec en plus le bruit des grenades et des mitraillettes qui tuaient les pauvres gens.

Au bout d'un moment il a ramassé lentement sa perruque sur le plancher du hangar, et en se la replaçant sur la tête il a dit avec douceur *Et alors, ce sapin, il vous plaît ? Je vous l'emballe ?* On a souri, on a fait *Oui.* Ensuite Joëlle a dit *Oh, mais il nous faudra aussi des ampoules !* et alors le caporal Breadbaker a répondu *Pas de problème, mademoiselle Joëlle.* On est revenus dans le magasin, il a ouvert un tiroir sous le comptoir et il a dit *Prenez ça, les enfants. Je vous l'offre.* Les mains hésitantes et les yeux agrandis par la surprise on a fait comme il a dit, on a pris. C'était une guirlande d'ampoules, mais quelle guirlande, on aurait dit un collier de petites planètes ardentes et tourbillonnantes comme un train d'astres aériens. Dans nos mains, même sans électricité les ampoules multicolores scintillaient, et dans chacune brillait un petit soleil frénétique avec tout autour une constellation, c'était parfois le Dromadaire, parfois la Redingote ou alors le Marchand d'aspirateurs. Il arrivait aussi qu'une étoile filante apparaisse, et alors il aurait fallu faire un vœu, mais c'était trop de beauté à la fois pour se laisser distraire par les superstitions, mieux valait pour l'instant se concentrer sur cette chose terrestre si jolie, car les choses belles sont si éphémères souvent.

L e soir de Noël, les amis sont arrivés au HLM avec chacun un petit quelque chose à mettre sur la table. Vers les huit heures, monsieur Molinari a frappé avec ses cantiques et ses rumbas sur trente-trois tours, sa dinde cuite dans un sac et monsieur Lopez à sa suite qui criait *Bonne année! Bonne année!* parce qu'en plus de ses oreilles qui ne tenaient plus vraiment la route, la calculette aussi commençait à perdre son latin dans la région du calendrier profond. De son côté, plus tôt dans la journée, madame Bérimont avait appelé Joëlle pour lui dire que son nerf sciatique la faisait mourir, qu'elle regrettait bien de ne pas pouvoir être de la fête avec tous les autres, mais qu'elle pourrait quand même célébrer Noël depuis son lit *si vous étiez assez gentils pour mettre le volume du tourne-disque au maximum?* Ensuite monsieur Lacuve est arrivé avec sa femme qu'il ne reconnaissait qu'une fois sur deux, car son amnésie allait bon train. Quand il se tournait vers elle et qu'il apercevait cette inconnue à son bras, il lui glissait à l'oreille *Je me présente : Émile Lacuve. Et qui diable êtes-vous?* Mais madame Lacuve lui souriait tout de même, pour elle ce type un peu diminué c'était encore le jeune homme qu'elle avait connu en 52. Joëlle avait invité également monsieur Poussain qui s'était écrié dans le combiné *C'est bien vrai! Tous y seront!* et aussi le docteur M'Bélélé et même Léon, cette brave bête.

Pour qu'on puisse manger, le docteur M'Bélélé avait dû apporter la porte de son placard. Puis le caporal Breadbaker a inventé des pattes en glissant sous chaque coin une pile de vieux dictionnaires rapportés de son hangar à l'aide de sa carrure, et un ou deux exemplaires de *Comme enfant je suis cuit* comme cale sous la patte de gauche. En tout, ça nous a fait une table assez immense pour que chacun puisse se tenir debout autour. Une fois la dinde au milieu on a rempli nos assiettes, et c'était bon d'être tous ensemble près du sapin et de la fenêtre à regarder les flocons dégringoler pendant qu'on avalait.

Après le repas on a tous raconté des blagues, sauf monsieur Poussain qui nous a plutôt posé des devinettes, sauf aussi pour monsieur Lacuve, qui regardait sa femme bizarrement, et monsieur Lopez qui tapait sans cesse des mains parce qu'avec ses oreilles il croyait entendre des gospels américains à la place des gags.

Au milieu de la soirée monsieur Molinari a insisté pour nous bénir tous, et quand on s'est mis à genoux, Léon est venu lécher mon visage. D'où on était, lui et moi, on voyait un morceau de nuit découpé dans la fenêtre, et aussi la guirlande du sapin qui se mélangeait au ciel. Et puis un peu partout, à genoux sur le plancher, il y avait Joëlle, Jules et tous ces braves gens venus célébrer avec nous. C'était si beau, tant de beauté ça donnait presque envie d'avaler une tourterelle triste puis de se la faire extraire pour devoir, après, prendre un bain tous les soirs.

Plus tard quelques-uns ont échangé de petits cadeaux. Madame Lacuve a offert une nouvelle pile à monsieur Lopez, mais comme son appareil était coincé dans l'oreille, on a dû s'y mettre à plusieurs, mais même alors rien ne venait. À la fin, en allumant une cigarette, monsieur Poussain a dit *Et si on essayait avec du beurre?* Mais les autres n'étaient pas d'accord, et monsieur Lopez est resté sourd tout le reste de la soirée. Après, le caporal Breadbaker a fait danser à vive allure madame Lacuve sur quelques trente-trois tours pendant que son mari battait la mesure sans le savoir. Puis le tourne-disque a envoyé *Louisette, où sont tes chaussettes?* et aussitôt il y a eu cette petite lumière dans l'œil de monsieur Lacuve, on aurait juré que pour lui tout à coup c'était reparti comme en 52. Dès les premières notes il est allé retrouver sa femme sur la piste, et tous les deux ont commencé à danser doucement, les joues soudées, pendant que le chanteur chantait. Quand le refrain revenait ils s'embrassaient énormément, et dans leurs vêtements les hanches commençaient à s'émouvoir, leurs souliers aussi, d'ailleurs, qui en oubliaient presque de continuer à danser tellement le chanteur murmurait les mots maintenant. Ensuite le troisième couplet est arrivé, et monsieur Lacuve a commencé à fredonner les paroles : *mignonne, n'oublie pas la salière* dans l'oreille de sa femme en même temps que le tourne-disque. Au quatrième couplet, leurs mains, jusque-là très platoniques, sont devenues plus hardies, et alors la plupart se sont dirigées vers les régions plus conjugales, ça devenait franchement érotique. À ce moment, Joëlle a pris Jules par la main pour l'entraîner vers la cuisine. Pendant ce temps la chanson a continué, puis, vers le milieu, le trente-trois tours s'est enrayé et le chanteur a répété dix-sept fois *Ah! quel somptueux piquenique*. C'est là que monsieur et madame Lacuve sont devenus comme des bêtes, c'est là aussi que tous, y compris Léon, on est allés rejoindre Joëlle et Jules dans la cuisine et en vitesse. Pendant un moment on est restés à faire semblant de parler de la météo devant la machine à coudre, puis la chanson a fini et on n'a plus rien entendu, sauf les flocons qui venaient s'écraser contre la vitre et, au loin, les cloches des églises qui sonnaient minuit.

Quand les cloches se sont tues on a tous glissé la tête dans l'embrasure de la porte du salon, et alors on a vu monsieur et madame Lacuve debout à chercher quelque chose l'un dans les yeux de l'autre. Au bout d'un moment, madame Lacuve a demandé *Que vois-tu, Émile?* et son mari a répondu faiblement *1952*. Ensuite, comme dans les ampoules de la guirlande, dans son œil on a vu passer une étoile filante.

À la fin tous sont repartis, et seul Léon est resté à dormir. Le lendemain matin, Joëlle et moi on est allés acheter un os chez madame Doubska afin que Jules puisse offrir quelque chose à cette brave bête pour Noël. Après déjeuner, mon frère lui a donné le cadeau en plus d'une carte de souhaits où c'était écrit *jouailleu noèle Léont, de ton méyeure ami Jules*. C'était écrit comme ça, parce que pour connaître à fond l'orthographe, il aurait fallu que mon frère fréquente les écoles plus longtemps pendant son enfance. Mais à cette époque, déjà, Jules avait officiellement été déclaré attardé de la région du contenu psychologique, alors Joëlle et moi on a préféré le garder à la maison. À présent ça lui faisait en tout dix-sept ans d'existence dans la peau d'un demeuré, de la naissance jusqu'à aujourd'hui, en passant par toute l'enfance et ses dérivés.

Au début cette vie avec un demeuré dans la maison ça n'avait pas été si facile. Un soir, dans les premiers temps de notre mariage, j'ai demandé à Joëlle *Même s'il manque un boulon d'intelligence à mon frère, tu le voudras toujours comme fils adoptif?* Et alors elle avait été très fâchée. C'était une fille qui ne se mettait jamais en colère sauf devant la bêtise, et voilà pourquoi de l'eau était tombée sur ses joues et elle avait répondu *Jérôme, comment peux-tu demander une chose pareille?* Après, j'ai été rempli de remords d'avoir posé une question si bête, mais j'étais si bête parfois, bien plus encore que mon frère et sa cervelle de retardataire et sa tête abriteuse de rêves ahuris, d'images fabuleuses et de musiques paisibles. C'est une réflexion qui me venait, souvent.

Après Noël, l'hiver a continué. Parfois, au-dessus des toits, on voyait passer lentement des canards trop vieux et trop faibles maintenant pour s'envoler vers le sud et qui se faisaient un nid de fortune sous les balcons ou sur les banquettes des autos abandonnées dans les cours. Un matin en revenant de chez monsieur Poussain pour lui payer une tranche, Jules, Joëlle et moi on en a trouvé un sur le trottoir devant chez Vittorini, raide mort et à demi enseveli sous les flocons du mois de janvier. À ses côtés c'était écrit dans la neige :

Le temps c'est de l'eau
Le temps c'est du sable
Se dit un crabe vieillissant
Il me file entre les pinces
Me jette sur le dos
Et quand la marée s'en retourne
C'est un sablier qui se retourne

Je l'ai ramassé et je l'ai emporté à la maison pour en faire de la soupe. Plus tard, quand j'ai ouvert le crâne pour donner la cervelle à Léon, les restes d'un rêve de plage sont tombés sur la nappe en s'effritant.

Un soir le blizzard soufflait sur le quartier et on entendait sa musique sinistre qui se faufilait entre les maisons comme un grand serpent de vent. À cause de la bourrasque, partout dans l'air la neige dessinait des formes mauvaises. Souvent c'était des visages joufflus de gens très riches qui passaient avec indifférence devant les pauvres, ou alors c'était Dieu qui écoutait la télé pendant que sur la Terre les gens recevaient des bombes sur la tête. Puis le serpent revenait sur ses pas et avalait tout, mais aussitôt il le recrachait et ça recommençait, ce soir-là l'hiver faisait rage et mordait les choses terrestres au passage.

Au HLM, pendant qu'on mangeait notre soupe au potiron, Jules a eu ce malaise. En une seconde ses yeux se sont retournés dans leurs trous pour voir à l'intérieur de mon frère, et en même temps les paupières ont commencé à clignoter avec fougue et désorientation par-dessus. Puis son visage est devenu aussi blanc que les flocons qui s'agglutinaient sur la vitre depuis quatre heures, et sur la tête les cheveux aussi ont été frappés de stupeur et se sont dressés plus que de raison sur le sommet. Au même moment on a entendu frapper sous la table, c'était les souliers de Jules qui venaient de cogner à cause des jambes raidies de surprise, peut-être les yeux venaient-ils de leur faire savoir ce qu'ils avaient vu là-haut dans la cervelle ? Puis mon frère a laissé tomber sa cuillère, il a perdu conscience et il a glissé sous la table avec ses membres qui ne répondaient plus à sa volonté de rester éveillé pour le reste de la soupe. Traduite en mots, toute l'affaire peut paraître assez lente, mais il ne faut pas se fier à la traduction : entre le moment où mon frère a rempli sa cuillère la dernière fois et l'autre moment où il nous a quittés pour le linoléum, le temps a passé comme un charme. Sur le coup, Joëlle et moi on a été si surpris qu'on est restés à le regarder dépourvu de sa conscience là-dessous sans réagir, tellement son corps avait procédé rondement. Mais très vite on s'est précipités pour prendre de ses nouvelles, on a saisi chacun un bout de mon frère mou et on l'a transporté sur le sofa du salon pour lui vérifier les martèlements et lui mettre un peu d'eau fraîche sur les tempes, d'ici à ce que les choses lui reviennent. Pendant un moment on a écouté le cœur qui lui cognait si chétivement dans la poitrine qu'on a failli perdre conscience à notre tour, mais il fallait à tout prix nous retenir de tomber dans les pommes pour l'instant, autrement qui aurait appelé le docteur M'Bélélé ? À la fin, justement, Joëlle a couru vers le téléphone, et pendant ce temps j'ai collé mon oreille sur la poitrine du petit puis j'ai cherché encore les martèlements, mais en restait-il seulement, et tandis que j'étais à écouter aux portes de mon frère j'ai entendu quelque chose de bien pire encore que le sifflement du serpent de vent qui bouffait les dessins de la bourrasque, bien pire. Quand on s'approchait de la tête de Jules on percevait la chanson triste et faible d'un oiseau qui résonnait dans sa cervelle.

C'est là que Jules a commencé à devenir bleu parce qu'il cessait peu à peu de respirer en signe d'avertissement que ça tournait mal. Alors dix fois, vingt fois je lui ai pincé le nez et j'ai soufflé dans sa bouche pour lui rappeler qu'il fallait vivre, mais toujours sa respiration diminuait et ses martèlements aussi, oh! comme j'aurais voulu à ce moment posséder la rage du serpent de vent qui hurlait, là, dehors, moi aussi j'aurais avalé toute l'injustice du monde et l'indifférence du dieu de monsieur Molinari! Oh! comme j'aurais voulu aussi transporter instantanément le sofa rue de l'Étoile chez les bien-moulées, mon frère à demi mort dessus, pour un bain drastique de jolies choses! Mais j'avais beau souffler et souffler encore dans le petit en lui pinçant les narines pour lui retenir la rafale dans le placard, les poumons continuaient à n'en faire qu'à leur tête, alors j'ai fait ce que je n'avais jamais fait en trente années d'allées et venues ici-bas, devant Jules bleu j'ai plié les genoux jusqu'au linoléum et de toutes mes forces j'ai prié le dieu des demeurés, je lui ai demandé de sauver mon frère. Mais comment on prie, je ne l'avais jamais appris. Les bras levés au plafond, les poings serrés et de

la colère plein les yeux, oh! comme je comprenais Joëlle de se fâcher devant la bêtise, j'ai crié
*Sauve mon frère! Sauve mon frère, tu m'en-
tends? Ta pile est morte ou quoi? Sauve mon
frère, vieux débris!* et plein d'autres insultes enche-
vêtrées.

Dieu n'a pas répondu, mais le docteur M'Bélélé est arrivé en auto à si grande vitesse que les freins n'ont servi à rien sur la glace, et alors un des châteaux forts des enfants a été défoncé. Mais qu'à cela ne tienne, on a vu le docteur M'Bélélé sortir par le sommet du donjon avec beaucoup de neige sur son chapeau de guépard et courir vers le HLM sa trousse à la main. Autour de lui le serpent s'enroulait et faisait des nœuds avec le vent, ça se faufilait entre les jambes, sous le manteau et autour de la tête jusqu'à soulever le chapeau qu'il fallait retenir pour l'empêcher de retourner à l'état sauvage. Sans parler des vilains dessins qui flottaient dans l'air et que le serpent avalait sans cesse avant d'en recracher d'autres qui partaient aux trousses du docteur M'Bélélé.

Aussitôt dans la maison il s'est dirigé vers le salon, et sans même enlever son chapeau ni son manteau il s'est agenouillé près du petit pour lui faire une injection de jus de rutabaga. Ensuite on a tous attendu nerveusement que la piqûre fasse son effet. Pendant ce temps la neige a commencé à fondre sur la tête du docteur M'Bélélé, et avec l'eau qui dégouttait du chapeau c'était comme si le guépard braillait de voir mon frère si jeune ainsi allongé avec si peu de martèlements et de conscience. On aurait juré le caporal Breadbaker quand la guerre lui revenait dans le hangar.

Au bout d'une minute les poumons ont redémarré, et Jules a ouvert les yeux. Les paupières ont encore clignoté un peu, et ensuite le regard est revenu à sa place dans les trous. Soulagés au possible, Joëlle et moi on s'est assis sur le sofa près de lui. Puis, quand on a vu que mon frère était complètement vivant, on s'est étendus doucement à ses côtés, on lui a caressé les cheveux, et à la fin on s'est endormis tous les trois sans qu'on s'en rende compte.

Pendant ce temps, assis dans la cuisine, et jusqu'à ce qu'on se réveille le lendemain matin, le docteur M'Bélélé et son chapeau ont regardé soucieusement par la fenêtre le serpent qui étendait sa guirlande de vent sur tout le quartier.

À l'hôpital, quand il a retiré l'entonnoir à tuyau de ses oreilles, le docteur M'Bélélé a dit *Ça arrive parfois. On répare à un endroit et, vraiment, ça se transporte dans un autre. C'est exactement ce qui s'est passé pour ce garçon : une autre tourterelle triste est apparue, dans la tête cette fois. Et ça a provoqué une autre saloperie de détraquement, vraiment. Je suis désolé.*

Dehors le vent était reparti, à présent c'était le froid qui de son dentier déraisonnable et tyrannique croquait dans les choses. Par la fenêtre on voyait le soleil se lever lentement sur les toits, on aurait dit que ça faisait craquer le ciel rose tout autour, de mémoire d'homme on n'avait jamais vu pareil brise-glace vertical.

L e docteur M'Bélélé avait inventé une machine à détecter les troubles à l'intérieur du crâne des gens, une sorte de rayon X, mais avec le cerveau inclus dans la photo en plus des ossements. *Pour y voir mieux, vraiment, il faudra mettre votre frère dans la machine,* a-t-il dit ce matin-là. Puis, en silence, on a traversé les corridors et on s'est dirigés tous les trois avec lui vers la section des détraquements, le cœur rempli de petites déflagrations d'inquiétude.

Là-bas, le docteur M'Bélélé a poussé une porte et il a dit *C'est ici mon laboratoire, vraiment.* Mais juste à la décoration on devinait. Partout on ne voyait que des photos de son Congo natal et des membres de la famille M'Bélélé, nombreux et souriant avec ferveur dans leurs vêtements modestes et leur peau noire. À la longue, tant de noirceur multipliée ça brouillait un peu la vision, tous ces braves gens côte à côte, au sourire si lumineux et à la peau si foncée, ça finissait par ressembler à l'intérieur d'un placard éclairé par une série d'ampoules alignées dans l'obscurité. Il y avait également beaucoup de photos du fleuve Congo et de la rivière Oubangui, sur lesquels glissaient sans cesse des bateaux remplis de marchandises diverses. Mais ce qui frappait surtout c'était le ciel congolais. Malgré la distance considérable entre le Congo très estival du docteur M'Bélélé et notre quartier rugissant sous le serpent de janvier, partout sur les photos c'était le même ciel qu'ici, aussi bleu que possible et toujours très rempli de silence et vidé de réconfort métaphysique.

À première vue on aurait dit une sorte de baignoire avec une portière sur le côté pour entrer et s'y allonger sur le dos. Pour le confort il y avait tout au fond un matelas pneumatique et un oreiller gonflable aussi selon la tête, le tout fixé à la baignoire par des ventouses dessous, afin d'éviter tout glissement par suite de tremblements du corps, car la chose n'inspirait pas le calme. Une fois que vous étiez couché là-dedans, on vous chaussait le crâne d'un casque de scaphandrier pour lire à l'intérieur, et alors le docteur M'Bélélé se mettait aux commandes dans la pièce à côté, avec une vitre entre les deux pour voir un peu. Enfin, sur le mur tout près, il y avait ce panneau de standardiste avec une forêt de fiches et de fils à n'en plus finir pour établir la communication entre le docteur M'Bélélé et la région interrogée sur le matelas au fond de la baignoire, quelques ampoules et voyants lumineux rouges ou verts selon qu'il y avait péril ou non pendant l'interrogation, et tout en bas un bouton de mise en marche pour faire démarrer le tout sous le sommet de mon frère prochainement casqué.

Après quelques minutes debout devant la machine, Jules a encore eu un malaise. On n'aurait pas su dire si c'était à cause de la tourterelle qui lui tapait sur le tourne-disque ou de l'émotion de se savoir interrogé tout à l'heure dans la baignoire. Mais à nouveau ses jambes ont cessé de faire leur travail et l'ont abandonné à la hauteur des genoux, le laissant sans support aucun pour continuer à rester debout. Joëlle et moi on est aussitôt venus à son secours, mais déjà le docteur M'Bélélé arrivait à la rescousse. De sa grosse main rose à l'intérieur et noire sur le dessus, il a relevé légèrement la tête de mon frère, puis de l'autre main il lui a soulevé les paupières, et alors il nous a dit un peu nerveusement *Okay, ça ira*. Et en effet on voyait que les yeux, cette fois, plutôt que de regarder dans la cervelle, restaient de ce côté-ci du visage. *Ça ira, mais, vraiment, il n'y a plus de temps à perdre!* a-t-il ajouté, avec entre ses bras mon petit frère tout mou et aussi fluide que les eaux de la rivière Oubangui.

Ensuite il a couché Jules sur un lit, puis il nous a dit *Je m'occupe de lui. Vous devriez sortir de cet hôpital et vous changer les idées, refaire le plein, vous aurez besoin de tout votre courage dans les temps qui viennent, vraiment.* Mais, le cœur encore plein de petits bruissements d'appréhension, Joëlle a résisté un moment, puis le doteur M'Bélélé lui a posé sa main bicolore sur l'épaule. Au passage les cheveux rouges de Joëlle se sont un peu mêlés aux doigts, et alors on aurait dit les rayons du soleil en octobre à quatre heures quand ils se mêlent aux branches des arbres devenus chauves. Puis il a dit très doucement *Je comprends votre inquiétude, vraiment. Mais croyez-moi. Pour l'instant, rester ici ne ferait que vous inquiéter davantage.* Et alors il a dû revoir en pensée sa famille restée là-bas au Congo natal, parce qu'il y a eu dans ses yeux tous ces gens qui dansaient sur une sorte de rumba congolaise : ses cousins, ses frères et sœurs ?

Sur le lit, même s'il n'avait plus que la moitié de sa conscience, Jules semblait plus calme à présent. Alors le docteur M'Bélélé nous a fait signe que tout irait bien maintenant, et il a ajouté pour nous rassurer davantage *J'en prendrai soin comme si c'était mon propre frère, vraiment.* Alors Joëlle et moi on est sortis dans le corridor puis on a pris le chemin de la sortie, lentement et sans parler. Sous nos souliers, les microbes qui ne nous entendaient pas venir criaient *Aïe!* quand on leur marchait dessus. À chaque pas, les cheveux de Joëlle frôlaient mon épaule comme un soleil bienveillant.

Dehors on a vu des oiseaux à demi frigorifiés qui glissaient sur le ciel. Quand ils se risquaient à chanter, aussitôt sorties du bec les notes gelaient et venaient se fracasser sur la neige. Plus tard, sur les trottoirs devant chez eux, les gens balayaient les morceaux et les jetaient aux ordures. Par la suite, pendant que les éboueurs videraient le tout dans les bennes des camions, on entendrait des mélodies mélancoliques sortir des poubelles à cause des notes cassées à l'intérieur.

Depuis l'hôpital, Joëlle et moi on n'avait pas dit un mot. À présent la neige tombait tranquillement sur nos épaules. Ça nous a rendus encore un peu plus tristes, c'était comme le temps et sa poussière qui s'amassait sur nous en accéléré. Peut-être aussi la nature s'essayait-elle à nous faire disparaître dans le décor tout blanc, comme si on avait été de trop avec notre tristesse portative dans le cœur parmi les choses immaculées de l'hiver. Mais à l'intérieur de Joëlle on devinait une grosse ampoule qui lui donnait un courage supérieur, on voyait bien que la tristesse ne la vaincrait pas. Malgré son cœur fendu par le milieu à cause de la vie parfois si terrible, Joëlle était toujours si pleine de santé, j'étais amoureux d'elle aussi pour cette raison. Pour moi c'était autre chose, il me fallait sans cesse pour terrasser mon chagrin un peu de renfort : une épaule où m'appuyer, une fête, le soleil, un sourire congolais ou une soupe chaude au potiron, Léon et sa truffe sur mes genoux, Jules heureux rue de l'Étoile, monsieur Molinari et ses pizzas tourbillonnantes chez Vittorini, monsieur Poussain sous sa casquette qui fumait et qui parlait en questions le soir sur son balcon, toutes ces choses minuscules.

À un moment, la neige a recouvert complètement les cheveux de Joëlle et j'ai dit *Tu es belle comme une star américaine.* Elle a souri, puis elle m'a embrassé parmi les flocons parce que la comparaison lui plaisait. Pendant le baiser, un oiseau qui passait par là nous a aperçus et s'est mis à chanter quelque chose, et alors les mots sont tombés intacts à nos pieds sur le trottoir, ça disait :

> *Premier avril chez les poissons*
> *Rien à signaler, sinon*
> *Dans le dos de quelques-uns*
> *Coquinement accroché*
> *Un petit homme en papier*

On aurait dit une promesse de printemps. Quand on a lu ça, Joëlle et moi on a souri un peu et, nos deux cœurs pêle-mêle, on s'est embrassés une deuxième fois. Là-haut l'oiseau a tracé encore quelques cercles au-dessus de nos têtes, ensuite il s'est éloigné tranquillement, et même quand il a été hors de vue la mélodie nous revenait encore un moment.

Après, on a décidé d'aller payer sa tranche du mois à monsieur Poussain, et en chemin tant de flocons sont tombés qu'en traversant les quartiers riches on ne voyait plus la différence entre les autos des fortunés et les bagnoles de par chez nous. La neige qui tombe sur les choses est toujours un beau sujet d'observation, à cause du monde meilleur qu'on peut imaginer caché dessous.

Monsieur Poussain passait ses journées debout à cause de son arthrite qui ne lui permettait plus de plier les genoux aussi facilement que dans ses jeunes années. Quand vous lui faisiez une visite il vous accueillait toujours avec chaleur et une petite bière qu'il débouchait à votre santé et puis il continuait à fumer, fumer, *pour le plaisir d'avoir envie de quelque chose, vous comprenez?* disait-il sans cesse. Son petit trois pièces rappelait un peu le hangar du caporal Breadbaker par l'extrême variété des objets éparpillés par terre ou déposés sur les étagères quand le plancher ne suffisait plus. Il fallait, pour s'y retrouver jusqu'au salon, faire preuve d'un sens de l'orientation digne d'un scout. Arrivé là, il vous proposait de vous asseoir sur le sofa, une chose étrange, bricolée à partir de matériaux sans beaucoup de parenté entre eux. Mais lui restait debout pour ne pas contrarier ses genoux.

Car depuis son congédiement de la fabrique de calendriers, monsieur Poussain arrondissait son chômage *avec ce petit commerce, pas mal, hum?* disait-il souvent aussi, c'est-à-dire qu'il recyclait divers rebuts en objets revendables fabriqués de ses propres mains dans son trois pièces. C'était la principale différence entre son commerce et le hangar du caporal Breadbaker : monsieur Poussain vendait des objets construits à partir de rien, *tandis que Breadbaker vend des riens à partir de trucs démolis, vous voyez?* nous expliquait-il parfois. Tous les deux s'entendaient d'ailleurs très bien, l'un et l'autre échangeant à l'occasion quelque *article* précieux. Plus d'une fois monsieur Poussain avait même consolé le caporal Breadbaker quand le Viêt-nam l'avait repris pendant ses visites dans le hangar. Et à l'inverse, une ou deux fois lorsque les genoux de monsieur Poussain avaient refusé de faire leur boulot de charnière pour avancer, le caporal Breadbaker l'avait empoigné avec sa carrure de frigo et l'avait ramené à travers tout le quartier, du hangar jusqu'au trois pièces, tel un colis. En somme c'était une belle amitié.

Sur le sofa, Joëlle a fouillé dans la poche de son manteau et elle a dit *Monsieur Poussain, je suis venue vous payer.* Il a répondu comme à chaque mois *Oh, nous sommes donc déjà le quinze?* Peut-être à cause de son ancien boulot d'inspecteur de mercredis, les dates paraissaient toujours lui importer plus que de raison. Alors ce jour-là j'ai demandé *Monsieur Poussain, pourquoi vous semblez toujours embêté quand le temps passe?* Il s'est appuyé le dos sur un truc qui n'avait pas encore de nom tellement il était en train d'être inventé, et avec un brin de tristesse dans le regard et toujours sa casquette sur le crâne il a répondu doucement *À la fabrique, un jour, j'ai calculé combien de mercredis en moyenne il me restait avant de crever. Et crois-moi, ça n'en*

faisait pas beaucoup, pas beaucoup du tout,
puisque t'as vu l'âge que j'ai, mon gars ?

Il avait soixante-deux ans.

Pour lui, le résultat de ce calcul, ça avait été
un choc terrible. À présent c'était comme s'il
sentait plus que la plupart des gens sa date d'expiration personnelle approcher à grands pas, surtout
avec son arthrite qui le lui rappelait chaque fois
qu'il voulait s'asseoir.

Ce jour-là on a compris véritablement pourquoi monsieur Poussain parlait toujours en questions. Quand vous sentez jour après jour votre
date d'expiration arriver, les questions doivent
sûrement se bousculer dans la cervelle : *aurai-je*
été un bon mari ? Un ami convenable ? Un frère à
la hauteur ? Comment Dieu peut-il ne pas exister
à ce point ? Pourquoi le monde meilleur se cache-
t-il sous la neige ? Où est passée la beauté ? À la
longue, on ne doit plus voir la vie autrement
qu'avec un point d'interrogation au bout.

En chemin vers le HLM on a encore beaucoup pensé à Jules, puis on s'est arrêtés un instant devant l'ancien Garage Molinari. Du trottoir on voyait que les travaux avançaient. À tout bout de champ un ouvrier arrivait avec une planche qu'il coupait avec sa scie, un autre branchait des fils pour l'électricité en se trompant parfois, et alors les cheveux lui dressaient sur la tête. D'autres encore trempaient des pinceaux dans la peinture et sifflotaient, et quand ils étendaient le tout sur les murs, ça leur dégoulinait dans la manche et jusque dans les souliers en passant par les sous-vêtements. À un moment, Édouard est sorti de son trou avec prudence, et caché derrière une poutre il a regardé tous ces gens travailler fébrilement. Pendant une minute ou deux il est resté là pensivement avec ses moustaches qui bougeaient devant ses petits yeux émouvants, et ça m'a rappelé le temps du Garage Molinari quand il venait nous retrouver le midi et qu'on lui donnait à bouffer les miettes de nos sand-wiches. Ensuite il s'en retournait à pas menus, puis on entendait les notes joviales d'une clari-nette qui résonnaient dans le mur du fond, c'était sa façon de dire *Merci*.

Ah! Édouard n'était pas un rat comme les autres, ça non.

L e lendemain matin le docteur M'Bélélé nous a téléphoné, dans le combiné on sentait, à cause de sa voix qui dérapait par endroits, qu'il n'avait pas que de bonnes nouvelles à nous apprendre. C'était, comment dire, une voix qui sortait de la bouche comme tout le monde, mais qui s'arrêtait une seconde ou deux dans la glotte congolaise afin de laisser passer les toussotements remplis d'hésitation, vu les mauvaises nouvelles qui seraient apportées bientôt par les mots. Quand j'ai décroché et qu'il a dit de sa voix hésitante *Bonjour, monsieur Jérôme... c'est moi... M'Bélélé, vraiment*, mes jambes un instant ont laissé de côté leur solidité malgré les ossements à l'intérieur, et pour continuer à écouter la suite j'ai tiré une chaise. À cause d'un petit frimas de désarroi entre les doigts, l'émotion s'est fait sentir aussi dans ma main, et alors le combiné s'est mis à glisser lentement, ce qui rendait la conversation plus difficile. Par la même occasion mon visage a blanchi, parce que le sang était parti ailleurs jusqu'à nouvel ordre. Enfin, dans ma gorge, les eaux se sont retirées d'un seul coup, et là-dedans j'ai commencé à ressentir quelque chose de bizarre, c'était comme les pas de plusieurs petits oiseaux maritimes qui marchent vitement sur le sable à marée basse à la recherche d'un repas : mollusques, coquillages, poissons crevés. Ensuite voici ce que le docteur M'Bélélé a dit : *Vraiment, j'ai trouvé l'endroit où l'oiseau est allé se loger. C'est dans le bahut de l'entendement, juste sous la cervelle. C'est de là qu'origine le détraquement maintenant. Vraiment.* J'ai répondu *Oh! Et que faut-il faire à présent?* À ce moment il y a eu un silence dans sa voix, comme s'il cherchait les mots à dire, par exemple *Quelqu'un que vous aimez va mourir bientôt.* Mais ce ne sont pas des mots à dire, on ne dit pas des choses pareilles aux gens. Il est resté silencieux un petit moment, puis c'est sorti comme ça : *On ne peut pas l'opérer une deuxième fois, vraiment. Ça serait trop dommageable. Personnellement, pour déloger cet oiseau et réparer pour de bon le tourne-disque, je suggère plutôt une cure.* Ça m'a fait retrouver d'un seul coup mes ossements et ma solidité verticale et j'ai répondu dans le combiné *Encore une cure? Mais Jules a déjà fait une cure! Une cure de beauté dans les ruelles du quartier et rue de l'Étoile avec les bien-moulées!* Il m'a écouté puis il a répliqué *Oui, je sais. Mais justement, je crois que cette première cure, vraiment, ça n'était pas suffisant. Ce qu'il faut à votre frère, c'est encore plus de beauté. C'est une cure de beauté amplifiée, vraiment. Amplifiée, oui. Vraiment, voilà.*

Pour nous recevoir, Monsieur Molinari avait enfilé sa salopette de mécanicien du temps du Garage Molinari. C'était le vêtement qu'il préférait à cause des bons souvenirs que ça lui ramenait quand il se glissait à l'intérieur et qu'il verrouillait avec les bretelles. À l'arrière il y avait cette portière en cas d'urgence et que deux boutons retenaient en place à l'endroit où siège le corps quand on lui offre une chaise. Sur le devant les deux poches étaient défoncées à force d'y avoir trimballé sa clé à molette et ses tournevis pendant toutes ces années. Mais monsieur Molinari l'oubliait toujours et fourrait sans cesse des trucs dedans qui lui tombaient dans les chaussettes. Un jour, au Garage, il avait voulu se rafraîchir les orteils, et onze gommes à mâcher avaient roulé sur le plancher, j'avais bien ri mais lui non, ce n'était pas un homme qui entendait à rigoler.

Dans la cuisine, Joëlle et moi on s'est assis à table puis on lui a parlé de la baignoire du docteur M'Bélélé, de la tourterelle intérieure et du bahut de mon frère, et aussi de sa cure de beauté amplifiée à suivre. Pendant un quart d'heure il nous a écoutés, assis sur la portière. Il avait la tête un peu penchée, mais peut-être était-ce à cause du plancher en pente raide de son logement terriblement modeste? Dehors le soleil brillait, et une fois la vitre traversée, la lumière venait se cogner à la salière en forme de Roi mage inoxydable avec des trous sur la tête pour laisser passer le sel. À la longue ça faisait une petite fête sur la table, et pendant que Joëlle parlait elle a posé, pour le plaisir, ses doigts sur la lumière, alors j'ai senti en moi une joie sautillante se frayer un chemin. C'était si bon d'être amoureux de quelqu'un que la lumière attire! Et puis d'autres objets captaient le regard : ce cendrier avec le dessin de Jésus au fond, même si monsieur Molinari ne fumait pas, ces statuettes d'ânes, de bœufs et d'autres animaux bibliques posées partout sur les meubles, ou encore ce portrait de Joseph occupé à couper une planche puisqu'il était charpentier, ces crucifix au-dessus des portes avec le Christ qui vous regardait passer sous lui quand vous quittiez la pièce, ce genre de trucs.

À la fin, monsieur Molinari a enfoncé les mains dans ses poches et il a demandé *Mais d'abord, de quelle beauté parlons-nous? De celle des hommes ou de celle de Dieu?* Pendant un moment on a regardé tous les trois les carreaux de la nappe sans parler, et après un silence assez long Joëlle a répondu *Faut-il à tout prix le savoir? Je crois que la beauté c'est ce qui aide les gens à vivre, voilà tout.* Puis le soleil est encore venu jouer sur la tête du Roi mage, ensuite ça s'est arrêté et j'ai dit *Oui, en somme, c'est ce qui permet aux gens de rester bien à la verticale dans leur personne, même si la vie leur tape sur la tête. C'est la lumière des quartiers riches qui se reflète sur le ciel le soir et qui déborde jusque par ici sans regarder à la dépense. C'est un monde meilleur sans que la neige soit obligée de tomber dessus pour qu'on y croie.*

Ensuite j'ai regardé par la fenêtre pour voir un peu, mais là-haut le soleil a continué de briller normalement. Comme toujours on restait bredouille, on ne pouvait pas savoir si le dieu de monsieur Molinari était d'accord ou non.

À la section des détraquements le docteur M'Bélélé nous a accueillis tous les trois avec son sourire rutilant et une poignée de main bicolore, et quand on lui a présenté monsieur Molinari il a dit *Enchanté, vraiment*. Après, on s'est mis en route pour aller rejoindre Jules qui nous attendait dans la chambre vu qu'il était sorti de la baignoire à casque. En chemin le docteur M'Bélélé nous a rappelé que Jules devait à tout prix prendre certains médicaments désormais, sinon le détraquement risquait de lui sortir du bahut et de partir à l'assaut d'autres régions dans l'assortiment d'organes intérieurs de mon frère, et alors, gare ! Puis il a sorti un flacon de sa poche, il s'agissait pour la plupart de pilules à avaler avant que les jambes ne quittent le sol au moment où vous sentiez le plancher prendre la fuite sous vous. D'autres encore servaient à ne pas perdre conscience quand c'était utile, et ainsi de suite pour tout le flacon.

Quand on est arrivés à la porte de la chambre j'ai demandé à Joëlle et à Monsieur Molinari d'entrer sans moi, parce que c'était trop d'émotion pour l'instant de revoir le petit avec son bahut musical. Alors tous les deux sont entrés, et le docteur M'Bélélé est resté avec moi de l'autre côté de la porte avec sa grosse main sur mon épaule. Par le hublot j'ai tout de même vu mon frère se précipiter dans les bras de Joëlle et de monsieur Molinari, et juste pour ça j'ai commencé à brailler tellement c'était poignant. J'ai dit au docteur M'Bélélé *C'est drôlement émouvant de voir le petit aimer à ce point des gens qui ne sont même pas de la famille directe. Imaginez si Jules doit raffoler de moi, son frère génétique et héréditairement transmissible.* Puis j'ai senti qu'une série de petites secousses commençaient sur mon épaule, et alors j'ai entendu brailler dans mon dos, c'était le docteur M'Bélélé ému lui aussi parce que tout ça lui faisait penser à sa famille là-bas au Congo. Et pendant que mon frère, Joëlle et monsieur Molinari riaient dans la chambre à force de se retrouver, on est restés tous les deux de ce côté-ci du hublot avec la rivière Oubangui qui nous sortait des yeux.

Le lendemain, au coin du boulevard, les enfants ont trouvé un chien mort à cause du froid qui l'avait transformé en grand labrador frigorifié. Pendant un moment ils sont restés penchés dessus à lui soulever les paupières et à lui secouer les pattes pour voir s'il y avait encore quelqu'un à l'intérieur. Puis Léon est arrivé en trottinant. Quand il a aperçu son semblable couché sur le trottoir, un petit gémissement lui est sorti de la poitrine, puis il s'est mis à tourner autour, peut-être était-ce sa façon de dire *Adieu, adieu mon vieux!* Ensuite, devant les enfants, il s'est étendu doucement le long du mort. Le corps collé à la dépouille il est resté longtemps sans bouger, sauf pour la truffe qu'il levait au ciel à tout bout de champ comme pour vérifier quelque chose. Puis, apaisé, il revenait au cadavre. Mais comme passant on avait beau regarder aussi, on ne voyait jamais que le soleil et quelques nuages remplis à ras bord de flocons prêts à dégringoler sur la Terre. Saurai-je un jour ce que les chiens ont compris et moi pas?

D ans les jours qui ont suivi, mon frère n'a pas pu commencer tout de suite la cure à cause de tous ces malaises qui le traversaient. À la maison il fallait sans cesse lui faire avaler l'une ou l'autre pilule, sinon Jules aurait égaré sa conscience, sans compter le risque de déplacement de son détraquement hors du bahut vers une destination inconnue. Du matin au soir il restait dans son lit à combattre de toutes ses forces de demeuré la maladie qui le dynamitait de l'intérieur. Parfois tout le corps était secoué de tremblements, et alors dans la bouche les dents faisaient un bruit de machine à écrire. Souvent, la fièvre était si forte qu'il fallait lui déposer sur la poitrine un cataplasme de bonbons à la moutarde, et aussitôt on entendait là-dessous les microbes qui hurlaient *Aargh! bon sang, on crève!* Mais bien vite d'autres forbans arrivaient à la rescousse et prenaient la relève. Et puis il maigrissait tant que sous la peau on commençait à voir le squelette qui voulait sortir, déjà le visage ressemblait à un soir d'Halloween avec ses yeux trop petits pour leur logement et ses joues creuses à faire peur.

C'était terrible de le voir dans cet état. Pour la première fois depuis qu'il avait commencé à devenir mon frère, dix-sept ans plus tôt, j'avais envie de lui suggérer de laisser tomber. Dans la pénombre de cette chambre modeste, encore un peu et je lui glissais à l'oreille : *Jules, c'est assez, maintenant, allez, lâche tout, tu ne peux plus rien attendre de cette vie si pourrie qu'elle n'est même pas fichue de fournir un dieu à la naissance pour collaborer dans les moments difficiles et surtout quand le corps souffre dans toutes ses régions anatomiques, abandonne, laisse aller, ça ira mieux après.* Seulement il n'y avait pas d'*après*, trente ans de regards attentifs vers le ciel du quartier m'en avaient convaincu : quand vous mouriez, le corps emportait tout avec son extinction, et plus rien ne subsistait de vous que quelques ossements inutiles, désormais.

Un après-midi, le docteur M'Bélélé a dû venir parce que les tremblements et la fièvre étaient redoutables. Aussitôt dans la chambre il a demandé *Avez-vous une loupe ?* et j'ai dit *Non*. Alors avec son canif il a enlevé la vitre de sa montre, et quand il l'a placée devant les yeux du petit on a vu dans la pupille des tas de flocons qui dégringolaient à l'intérieur de mon frère, et aussi des arbres à tuques qui poussaient, seulement voilà, au lieu de tuques pour les enfants ce n'était que des cailloux. Le docteur M'Bélélé a remis son chapeau de guépard et il nous a dit à travers son cache-nez *Donnez-lui ses pilules et soyez patients, vraiment. Il faut garder votre courage, on ne peut rien faire d'autre que de rester courageux.* Et parce qu'on ne savait plus d'où sortait la voix, on aurait dit que c'était le guépard qui nous disait ces bonnes paroles.

Ensuite on est revenus dans la chambre, et quand on baissait les yeux on voyait dans les trous de souris au pied des murs de petits yeux tristes qui brillaient dans le noir et qui nous regardaient, l'air de dire *Pourquoi tant de malheur ?*

L e soir, madame Bérimont a frappé à la porte. Dans la journée, malgré son nerf sciatique qui ne la lâchait plus, elle nous avait fabriqué un gâteau qui nous a rappelé les cheveux du docteur M'Bélélé sur le dessus. Elle a dit *Je sais bien que ça ne guérira pas le petit, mais si ça peut vous apporter un peu de joie... Je l'ai cuit pour vous, monsieur Jérôme, et pour vous aussi mademoiselle Joëlle, et bien sûr pour ce cher enfant, allez, je vous aime bien tous les trois, vous êtes un peu les enfants que je n'ai jamais eus, c'est vrai, non mais c'est vrai.* Puis on est restés tous les trois à la fois souriants et tristes sur le palier, et ensuite madame Bérimont a dit *Maintenant, vous m'excuserez, il faut que j'aille m'allonger un peu, ah! ce nerf sciatique me tuera, il me tuera, allez, soyez heureux si ça se peut!* et elle est repartie en tanguant avec ses cent vingt-cinq kilos autour d'elle. Parce qu'elle savait bien que son gâteau ne guérirait pas mon frère, on aurait dit une chaloupe qui rentrait bredouille à la maison.

D'autres jours ont encore passé avec le vent qui venait fouetter les fenêtres, les pilules à faire avaler au petit à tout moment et la lumière qui disparaissait vers les quatre heures, tandis qu'une nuit épaisse commençait à recouvrir le monde. Le seul réconfort vous venait de la lune quand elle s'allumait au milieu du ciel parce que ça rappelait les membres de la famille du docteur M'Bélélé quand ils ouvraient la bouche pour sourire. C'était des nuits qui venaient toujours trop tôt pendant que vous étiez encore à faire le plein de jour et qui n'en finissaient plus d'obscurcir le monde jusqu'au lendemain. Souvent, bien après minuit, quand Jules s'était assoupi, Joëlle et moi on s'assoyait un moment à la fenêtre. Une fois, alors qu'elle regardait bien au-dessus des toits, Joëlle a dit *Comme ce serait bien, parfois, de savoir qu'un dieu veille sur nous!* J'ai approché ma chaise doucement, et un peu de ses cheveux rouges a touché mon épaule. Puis j'ai posé ma main sur la sienne, et ses doigts se sont mélangés aux miens sur le tissu de sa robe toute simple. Ensuite elle a dit tranquillement *Je crois que je serai toujours inconsolable de ne pas croire en ces choses, de savoir qu'aussi longtemps que je vivrai je ne devrai compter que sur moi-même pour trouver une raison aux événements qui tissent notre existence. Oh, Jérôme, comme j'envie ceux qui voient dans ce ciel si noir bien plus que la nuit qui enveloppe les choses! Mais que voient-ils? Que voient-ils donc?*

Après, on est restés à écouter les bruits du vent et de la maison qui craquait dans la nuit froide, les chiens qui aboyaient au loin, la respiration du petit dans la chambre, et aussi le violon de la vieille souris, bref, à écouter la voix des choses terrestres tout autour, puisqu'il n'y avait pas d'autre réponse possible.

Cette nuit-là, quand Joëlle est allée dormir, je suis resté encore longtemps assis dans le noir. Puis, un peu avant l'aube, j'ai pris le combiné et j'ai fait le huit zéro huit pour appeler monsieur Molinari à l'autre bout du quartier. Après vingt-quatre sonneries, il a répondu *Mmouaisqu'est-cequygna?* avec dans la voix de petits cailloux de sommeil contrarié mêlés à la respiration bruyante qui lui sortait de la région du coffre pulmonaire. Sans préambule j'ai dit *Monsieur Molinari, je vous appelle à une heure pareille parce qu'il faut me dire, à la fin : pourquoi toutes ces choses célestes chez vous, cette salière en forme de Roi mage inoxydable, par exemple, et bon sang que voyez-vous la nuit quand vous regardez le ciel?* Au même moment, un chat a traversé la rue avec de la vapeur qui lui sortait des narines comme une petite usine vivante avec du frimas sur les moustaches. Dans le combiné, tout restait silencieux, excepté la pompe pulmonaire de monsieur Molinari qui trahissait une présence stupéfaite. Puis j'ai entendu *crouink,* c'était le sommier du lit de monsieur Molinari se levant pour rassembler ses esprits. Et alors il a crié dans l'appareil *Tu veux mon pied aux fesses, galopin?* On n'a pas *idée de réveiller les honnêtes gens à cette heure!* Puis il a raccroché violemment et je suis allé rejoindre Joëlle sans réponse à lui offrir.

Puis l'argent a commencé à manquer. À la maison, puisqu'on devait veiller mon frère jour et nuit pour ses pilules, pour ses cataplasmes et de temps à autre pour une soupe au potiron, Joëlle ne pouvait plus fabriquer aussi souvent des vêtements sur la machine de monsieur Poussain. Dans le placard et le frigo, les victuailles diminuaient chaque jour un peu plus. À présent, pour manger nos trois repas, il fallait aller à l'épicerie de madame Doubska et lui demander un truc ou deux à crédit pour tenir jusqu'au lendemain. Quand j'arrivais à la caisse avec mon potiron, mon pain noir et mon litre de lait, elle demandait toujours en se penchant vers moi *Et alors, il remonte, le petit?* avec l'accent de sa Yougoslavie natale et sa poitrine phénoménale par-dessus le comptoir. Alors je déposais mes choses et le tout commençait à se déplacer vers le bout du comptoir roulant pour l'emballage, c'était un peu comme un escalier mécanique horizontal sans élévation, pour l'avancement des victuailles seulement. Tout au bout il y avait une chaise en bois pour l'emballeur qui s'assoyait et pédalait pour que le comptoir roule vers lui, et alors il n'y avait plus qu'à ramasser et mettre dans les sacs. C'était une invention ingénieuse bricolée par monsieur Poussain à partir de petits riens dans son trois pièces rempli d'objets et de calendriers sans mercredis. Pour l'emballage des victuailles, c'était Jerzy qui faisait le boulot, lui et ses cheveux en brosse et sa gentillesse indestructible. Pendant longtemps j'ai cru que, comme Jules, Jerzy avait la cervelle un peu restreinte à cause de cette gentillesse si immense et constante envers les gens. Mais avec les années j'ai compris qu'on pouvait être gentil presque tout le temps et avoir toute sa tête, qu'il suffisait pour ça de ne pas trop suivre les tendances. Car de nos jours, pour être à la mode, il faut surtout faire un tas de fric, et après, s'il reste du temps, on peut commencer à être gentil. Mais Jerzy ne suivait pas les modes, ça non, on n'avait qu'à voir ses vêtements, par exemple, pour le constater. Pour le pantalon c'était toujours un tissu infroissable qui couvrait les jambes jusqu'à ce que les chaussettes prennent la relève quand la fin du mollet et la cheville se rejoignaient, avec un pli en plein milieu pour séparer la gauche de la droite et pour fendre l'air quand vous avanciez dedans. Jerzy aimait beaucoup les motifs et les couleurs désopilantes, et voilà pourquoi vous aviez souvent une petite migraine si vous regardiez trop longtemps cette partie de son corps habillé pendant qu'il pédalait comme un fou avant d'introduire vos victuailles dans les sacs. Plus haut, c'était la plupart du temps une chemise rentrée dans les sous-vêtements, en bas, et maintenue autour du cou de Jerzy avec un nœud papillon pour le haut. Parfois, quand la journée achevait et qu'il avait fait plusieurs kilomètres au comptoir, il rangeait le nœud dans la caisse pour respirer un peu, et alors on apercevait sa camisole parce qu'il déboutonnait sa chemise presque jusqu'au rez-de-chaussée de la sexualité humaine. À ce moment, si on lisait sur la camisole, on avait droit à un peu de publicité, c'était toujours écrit : *Épicerie Doubska et fils, vivres et provisions.*

Moi je souriais, je répondais *Oui, il remonte.* Je mentais parce que madame Doubska était sans cesse si joviale, je ne voulais pas assombrir cette joie avec le malheur d'autrui. Et puis, timidement, je disais *Vous pouvez me faire crédit, madame Doubska ? Aussitôt que possible je vous paierai une première tranche.* Faisant mine de me gronder, elle répondait *Allez rejoindre madame Joëlle et le petit, au lieu de dire des âneries !* et même une fois sur le trottoir, mon sac dans les bras, je revoyais encore cette poitrine incroyable, c'est une image qui vous revenait.

L e mardi, madame Lacuve est venue nous offrir des saucisses pour qu'on puisse continuer à manger pendant que Joëlle ne pouvait plus fabriquer de vêtements, vu Jules et sa tourterelle dans le bahut. En ces temps de difficultés multiples ça faisait vraiment plaisir, et j'ai dit *Madame Lacuve, tant qu'il y aura des gens comme vous ça vaudra le coup de rester vivant encore un bout* et ça l'a fait rougir comme une écrevisse. Avec elle sur le palier il y avait son cousin Rosaire pour porter les paquets, car monsieur Lacuve attendait sagement à la maison sans s'en douter. Les week-ends, Rosaire tenait la batterie dans un orchestre bavarois pour agrémenter la noce quand les nouveaux mariés revenaient de l'église et qu'ils voulaient danser à présent. *Voici mon cousin Rosaire, il est batteur dans les mariages!* a dit fièrement madame Lacuve tellement il tapait, paraît-il, sur la peau des tambours avec débrouillardise. Puis elle a ajouté *Madame Bérimont et madame Doubska m'ont raconté pour le petit, et c'est pour ça que j'ai pensé vous apporter ces choses, vous en aurez bien besoin d'ici à ce qu'il guérisse.* Ensuite Rosaire a dit *Et si des fois vous aviez besoin d'un petit changement d'atmosphère, y faudra m'appeler, et on viendra vous égayer un peu la maison avec notre ensemble!* Son *ensemble,* c'est ainsi qu'il désignait son orchestre. Ensuite Joëlle est venue me rejoindre sur le pas de la porte, et quand il l'a aperçue toute souriante dans ses vêtements, Rosaire a fait *Oh!* puis il a laissé tomber les paquets sur ses souliers aplatis d'un seul coup là-dessous. Le long de son corps les bras sont restés allongés d'ici à ce qu'ils servent à quelque chose, et dans sa poitrine un orchestre intérieur s'est mis à jouer *Passe-moi le sel, Poulette.* Même à un mètre on entendait le batteur qui tenait le rythme cardiaque démesurément. Plus haut, la charnière de la mâchoire était sortie de ses gonds pour l'instant et les oreilles rougissaient à vue d'œil avec une petite haie de poils qui sortaient du trou. Peu de chevelure lui poussait par contre sur le crâne, mais ce qui attirait surtout l'attention, dans cette région, c'était son chapeau bavarois qui s'enfonçait peu à peu à cause du tremblotement qui lui secouait la tête depuis que Joëlle était apparue. À quarante-huit ans il venait de tomber amoureux pour la première fois de sa vie, c'est madame Lacuve qui nous l'a dit plus tard.

Et puis, pour la première fois depuis des jours, les malaises ont diminué et on a pu sortir Jules de son lit. Pendant un moment on a marché lentement tous les trois dans le corridor pour faire savoir à ses jambes que mon frère était redevenu vertical, mais à cause de sa faiblesse extrême il fallait le soutenir de chaque côté pour éviter la chute et que les ossements se retrouvent pêle-mêle sous la peau. À tous les trois pas, Joëlle lui glissait de petits mots d'encouragement dans l'oreille, et alors un sourire se dessinait sur le visage amaigri de Jules, c'était beau comme l'aube quand le soleil arrive au-dessus des toits. Mais juste après, on lisait la douleur sur ses traits, et à l'intersection des os, là où le squelette se dépliait, des craquements immondes se faisaient entendre, ça vous tirait les larmes tellement Jules devait souffrir. Tout de même, cette promenade dans le corridor, ça ressemblait à une victoire, et quand on s'est arrêtés finalement devant la fenêtre de la cuisine, Jules m'a regardé et a souri encore. Alors j'ai dit, ma main dans ses cheveux, *Comme tu es fort !* et bien sûr je ne parlais pas de son corps devenu si faible depuis le détraquement, je parlais du courage, cet autre squelette à l'intérieur de nous parfois.

Après on a installé Jules à table, et pendant que j'ai fait cuire la saucisse de madame Lacuve la lumière est venue toucher le corps affaibli de mon frère. En bas un chien est arrivé devant chez Vittorini, il a reniflé le lampadaire, ensuite un nuage est passé, des flocons sont tombés puis se sont mélangés à la lumière du jour qui trépassait peu à peu, ça ressemblait à une petite pluie de bonbons à la moutarde. Mais quand la neige arrivait sur le sol, ça faisait un tapis de flocons se déroulant sous les pas des enfants qui sortaient des HLM. Puis Jules a mangé et on a dû le ramener dans son lit à cause de la fatigue qui se lisait déjà sur son visage au bout d'une saucisse à peine.

Dans la soirée, Joëlle et moi on a écouté les nouvelles à la télévision. Un gars avec une cravate et un micro a montré des images de pauvres gens qui recevaient des bombes sur la tête pendant que les politiciens restaient à l'abri dans leur bureau. Ensuite on a vu en interview des types très riches qui racontaient comment leurs compagnies achetaient d'autres compagnies et grossissaient à perte de vue, et ces types avaient vraiment l'air de trouver la vie intéressante. Puis quelqu'un est venu frapper sur le palier.

Quand on a ouvert il n'y avait plus rien ni personne, sauf à nos pieds une note signée par monsieur Lopez et aussi une fiole remplie de pilules, sur le papier c'était écrit : *Chers amis, c'est pour le petit, donnez-lui ça matin et soir et vous m'en direz des nouvelles. L'an dernier, ça m'a complètement guéri de ma phlébite.*

Chez lui, de l'autre côté de sa porte, on entendait la télé hurler à tue-tête, on voyait bien que sa pile était encore à plat.

Dans le bahut de mon frère, la tourterelle se taisait un peu à présent. Depuis quelque temps, en effet, on n'entendait plus sa chanson triste, peut-être à la longue les pilules du docteur M'Bélélé commençaient-elles à lui rétablir un peu le tourne-disque. Une nuit, allongé aux côtés de Joëlle, j'ai dit *Demain, il faudra commencer cette cure de beauté amplifiée.* Elle s'est blottie contre mon épaule puis elle a murmuré *Oui.*

Dehors, des étoiles se sont rassemblées devant la fenêtre. La lune s'est levée au milieu de la Redingote, et tout autour de petits astres sont arrivés en dansant une polka. Ensuite, dans la chambre, le ciel a jeté son éclairage sur Joëlle. C'était un corps fabriqué à partir des meilleurs *articles* terrestres, si on peut dire, et assemblé avec tant de maestria que ça finissait par composer Joëlle et sa beauté émouvante, c'est-à-dire si pleine d'humanité. À partir du sommet, les cheveux lui tombaient en vaguelettes autour du visage comme un chalutier quand il secoue l'eau sous son ventre maritime. Dans leur abri de chevelure ses oreilles lui servaient beaucoup pour écouter le vrombissement du monde, mais surtout le murmure des choses amoureuses, car Joëlle avait un cœur spacieux comme une soute de porte-avions. Au milieu du visage si doux, la bouche donnait aux autres des paroles de réconfort quand la vie tournait mal, ou des baisers sur mes lèvres si le soir tombait tranquillement. Juste plus haut, les yeux scrutaient l'existence à la recherche de trucs invisibles, muets et même inexistants, comme Dieu, par exemple, ce qui la chagrinait toujours parce qu'elle n'aimait pas l'idée que les gens souffrent sans que personne n'y puisse rien. Entre les deux, le nez n'était pas que mignon : en plus, de l'air passait à l'intérieur par ses trous rigolos. Ensuite, en ligne droite vers le sud, vous arriviez au cou si joli avec une nuque à l'arrière pour y poser les lèvres souvent. Peu après commençaient les épaules qui rappelaient le Sahara à cause de la couleur du sable et de la forme des dunes, mais aussi parce que de petits mirages y apparaissaient à l'occasion, et alors de grandes soifs vous étreignaient. Venait par la suite le buste, accroché comme une boîte à fleurs formidable de jeunesse sur la devanture. Puis vous étiez ému par le ventre qui conduisait à la boutique mystérieuse du sexe droit devant, encadrée à l'est comme à l'ouest par l'une ou l'autre jambe. Et chaque jambe justement avait une cuisse autour, qui descendait avec émotion le long de Joëlle sous le pantalon, ou nue si c'était l'heure du bain. Juste en-dessous arrivait un mollet magnifique affichant beaucoup de sex-appeal ambulant pendant les promenades, puis ça s'arrêtait à la cheville. C'était le chemin le plus court et aussi le plus beau pour arriver jusqu'aux pieds, enracinés dans le monde comme une plante opiniâtre et rêveuse.

À l'aube on a levé mon frère malgré sa fragilité encore redoutable et on est sortis tous les trois pour commencer dans les rues la cure de beauté amplifiée. Enveloppés dans nos manteaux, on a marché un moment dans le quartier sous les nuages roses à regarder tout autour les choses qui faisaient plaisir aux yeux. Ici, c'était des maisons avec leurs familles à l'intérieur qui dormaient encore jusqu'au soleil. Là, c'était des commerces sans leurs commerçants dans la vitrine à cause de l'heure, mais qui ne tarderaient pas. Puis on arrivait devant l'épicerie de madame Doubska et sa clochette à l'entrée pour que Jerzy soit prévenu et qu'il s'installe sur sa chaise d'emballeur à pédales. De temps à autre vous croisiez des chiens au pelage mouillé, ou alors des chats abandonnés dans vos jambes venant se frotter. Parfois aussi une note sortait d'un oiseau et déchirait l'air. Sous les balcons, les traîneaux des enfants attendaient la fin du sommeil des petits pour se glisser parmi les flocons amoncelés. Là-bas, une fenêtre s'allumait, et alors des gens apparaissaient en pyjama derrière les carreaux puis cassaient des œufs. Plus près, un autobus passait, rempli de lumière sortie du plafond et de travailleurs plongés dans le journal du matin. Sur les toits, les cheminées crachaient des fumées verticales en direction du ciel. Puis à un moment les rayons du soleil ont percé les nuages comme de grands sabres silencieux à travers des oreillers.

Mais déjà mon frère était tout rempli de faiblesse dans ses jambes et ailleurs dans la grande famille des autres parties du corps aussi. Au coin du boulevard, Joëlle et moi on a dû commencer à le porter à cause des pieds qui se contentaient à présent de remplir ses bottes, refusant tout net de continuer à faire des pas, et voilà pourquoi on est rentrés à la maison avec chacun un bout de mon frère dans les bras vers les sept heures.

Dans l'escalier, pour souffler un peu, on a déposé Jules un moment dans les marches. Pendant qu'on soufflait, mon frère s'est allongé sur le dos, son manteau autour de lui et sa tuque enfoncée sur la tête, puis il s'est mis à sourire en direction du plafond. Alors on s'est penchés tous les deux sur lui doucement, et même sans la loupe du docteur M'Bélélé on a vu défiler dans ses yeux toutes ces choses si belles aperçues dans le quartier tantôt, des maisons modestes jusqu'aux sabres du soleil, en passant par les chiens mouillés.

Comme c'était un jour sans beaucoup de clientèle au hangar, le caporal Breadbaker est venu nous visiter l'après-midi. Il y avait toujours autour de lui quelque chose qui flottait, une sorte de grand canard invisible, déboussolé et désolé, qui faisait *coin coin* tristement quand il s'envolait de son épaule, un oiseau rempli de spleen avec sur la tête un casque de soldat vietnamien et devant les yeux des tas de souvenirs militaires et mélancoliques. Malgré tout, sauf au moment de ses crises, le caporal Breadbaker continuait de garder le moral, car c'était un coriace dont la centrale à joie de vivre était mieux huilée que sa voisine, la marmite à dépression nerveuse, boulonnée juste sous le foie.

Joëlle lui a offert une chaise et elle a demandé *Vous prendrez bien un peu de thé, monsieur Breadbaker?* et il a répondu *Avec plaisir, mademoiselle Joëlle.* Alors autour de la tasse on lui a raconté pour mon petit frère et sa fatigue redoutable qui l'empêchait de poursuivre la cure verticalement sans qu'on le porte Joëlle et moi à chaque bout. Ensuite il s'est frotté le menton en signe de réflexion et aussi la tête, et voilà que sa moumoute commence à se déplacer vers la gauche en direction de l'oreille. *Hummm, j'aurais peut-être une solution à ce problème,* dit-il alors, de sa voix grave de frigo ambulant. Après, on a tous souri et on a regardé la neige tomber un moment.

Deux jours plus tard quelqu'un a frappé sur le palier, c'était le caporal Breadbaker et monsieur Poussain qui souriaient. Devant la porte, monsieur Poussain a allumé une Marlboro puis il a dit *Avec deux ou trois bricoles que m'a fournies Breadbaker, j'ai fabriqué ceci pour le petit, qu'est-ce que vous en dites, les enfants ?* Entre les deux il y avait ce fauteuil roulant pour asseoir mon frère quand ses jambes refusaient de faire leur boulot de véhicule. C'était une chaise de bois, traversée d'est en ouest par un essieu pour les deux roues de vélo de chaque côté de Jules quand il s'assoyait. À l'avant, une troisième roue empruntée à une trottinette permettait de diriger le fauteuil du bord voulu, puisqu'elle était reliée à un manche à balai qui menait à la main de mon frère s'il voulait tourner. Pour faire avancer la chaise il suffisait que quelqu'un pousse dessus en saisissant les deux poignées de porte vissées à l'arrière. Mais il y avait plus beau encore, car tous les *articles* qui passaient entre les mains du caporal Breadbaker se transformaient en quelque chose de prodigieux grâce à la petite mixette à merveilles qu'il possédait à l'intérieur. Et voici le prodige : quand la chaise avançait, une mélodie splendide

163

sortait des roues et entrait dans mon frère, par où, je l'ignore encore. Et alors tout Jules devenait lumineux, aurait-on dit, tel un feu de joie dans l'été. Quelque chose s'ouvrait ensuite dans son regard, comme la porte d'une cage peut-être, c'était si beau de le voir ainsi rouler.

Cet engin, c'est fait à partir de petits riens, mais ça lui permettra au moins de voir du pays, non? a dit ensuite monsieur Poussain, et on a bien ri tous ensemble.

L e temps passait, et chaque jour on retournait dans les rues et les ruelles du quartier avec mon frère pour sa cure de beauté amplifiée. Le matin, après déjeuner, Joëlle et moi on prenait chacun un bout de Jules puis on descendait l'asseoir sur sa chaise musicale au rez-de-chaussée, et alors on partait à la recherche de choses toujours plus jolies. Bien sûr, parfois la récolte était moins réussie, mais alors au retour on rencontrait des gens qui nous saluaient et même qui nous faisaient un brin de causette à travers leurs cachenez sur la bouche. Ces jours-là, quand on rentrait au HLM, les yeux de Jules étaient remplis des choses belles rencontrées en chemin, mais plus encore de l'image des voisins qui lui avaient dit *Bonjour, Jules, ça va aujourd'hui?* et ce genre de gentillesses.

Ensuite le temps continuait à passer.

Maman était horizontalement sous la terre du cimetière depuis quatre ans déjà quand mon frère a décidé de perdre la parole. Ce jour-là, la pluie tombait partout à la fois, aussi loin que les yeux pouvaient voir de tous les côtés. Joëlle, mon frère et moi on était allés comme chaque mois tourner un peu autour de la tombe de maman transformée désormais en petite réunion d'ossements dans sa boîte souterraine pour l'éternité. À un moment, Jules, qui, comme je l'ai déjà dit, n'avait pas toute sa cervelle, a demandé *Jérôme, pourquoi maman ne nous répond jamais quand on lui parle chaque mois au cimetière?* Alors j'ai dit la vérité, rien que la vérité, et sans doute n'aurais-je pas dû, car il n'y avait pas, dans la tête de mon frère demeuré, ce petit amortisseur de triste réalité comme dans le crâne des autres gens, c'est une chose que je n'ai comprise que ce jour-là. J'ai répondu *Parce que lorsque les gens meurent, rien ne leur survit, y compris la grande mécanique émotive qu'ils traînent à l'intérieur pendant toutes ces années. À la fin, quand on les couche sous l'herbe, leur corps n'est plus qu'une sorte de chaloupe roussie et bosselée, et plus tard encore ce corps commence à ressembler à une petite réunion d'os horizontaux. Et voilà pourquoi les morts ne parlent plus, puisqu'il n'y a même plus de bouche sur le squelette pour dire les choses.*

Dans la seconde suivant ces paroles, un éclair est venu scier le ciel ainsi que le tonnerre et son tambour bavarois amplifié à des kilomètres à la ronde. Ce bruit ça nous a traversé les oreilles en passant par l'intérieur de la tête comme la brosse du ramoneur dans la cheminée, et même le restant du corps en était tout ahuri entre les organes. Était-ce l'effet de mes paroles ou celui de cette détonation céleste, je l'ignore, mais au même moment les yeux du petit sont devenus si formidablement grands dans les orbites. Ensuite un deuxième éclair est sorti d'un gros nuage noir et est venu s'écraser à deux pas de nous sur le vélo de Jules avec encore le tonnerre bavarois, et c'était foutu pour le vélo. Cette fois, mon frère a été tellement ébranlé qu'il en est devenu tout ramolli de la tête aux pieds, puis il a perdu conscience par la même occasion sur le gazon. Alarmés au possible, Joëlle et moi on a dû le ramener au trot par les extrémités dans les rues du quartier pendant que la pluie continuait à mouiller le monde sous nos pas.

Et alors à partir de ce jour mon petit frère n'a plus dit un seul mot, comme maman couchée parmi son squelette et horizontalement si muette.

Car Jules a tant aimé maman du temps de ses années vivantes que c'en est presque une surprise qu'il ne soit pas mort lui aussi le jour où on l'a enterrée sous l'herbe. Maman elle-même l'a tout de suite adoré à partir du premier hurlement sorti de sa bouche au moment de naître, parce que c'était un enfant si mignon avec ce petit corps rempli de cris et ses yeux déjà à la recherche de la beauté. Ensuite mon frère a grandi, seulement pour lui ça ne changeait rien, mais rien du tout, toujours il continuait à aimer maman formidablement, toujours il continuait de lui apporter des bouquets de pissenlits quand les beaux jours revenaient, ou encore il lui offrait des cailloux trouvés dans les ruelles et qu'il astiquait en crachant dessus avant. Et même, plus tard encore, quand elle allait gagner son salaire rue de l'Étoile, souvent le petit allait l'attendre le soir à la réception du bordel, et alors madame Mimine lui racontait des histoires pendant que maman finissait la clientèle à l'étage. Oh! comme c'était loin, tout ce bonheur! À présent les os nus et immobiles de maman étaient réunis dans une boîte souterraine et mon petit frère combattait des oiseaux tristes à l'intérieur de lui-même.

Vers la fin de janvier, Rosaire est venu frapper avec son ensemble bavarois pour nous offrir un peu de beauté à domicile. En plus de lui à la batterie, il y avait Gaston qui soufflerait dans une trompette, Napoléon et sa guitare, sans compter Eugène avec un accordéon accroché sur le devant. *On a pensé vous apporter un peu d'atmosphère*, a dit Rosaire quand il est entré, et tout l'ensemble l'a suivi à la recherche d'un endroit où s'installer pour le concert au salon. Puis les quatre ont commencé à accorder leurs instruments. Ensuite Rosaire nous a demandé à tous les trois *Est-ce que ces messieurs-dame auraient une chanson à demander?* et j'ai répondu tout joyeux *Filons, Alice!*

Alors l'ensemble au complet s'est mis à jouer avec fracas et éclatement, c'était si joli. Dans le coin gauche près du sofa, Napoléon raclait les cordes de sa guitare sans arrêt jusqu'à ce que les notes sortent du trou. Le trou, d'ailleurs, était entouré d'une boîte bavaroise creuse comme une potiche au milieu pour mieux catapulter les notes quand la musique rebondissait au fond, accompagnée du manche laissant courir les doigts à leur guise. Napoléon avait aussi été élu chanteur de l'ensemble parce qu'il était le seul capable la plupart du temps de mélanger sa voix et ses doigts pendant qu'il jouait, sans déraper vers une autre chanson. Puis c'était Gaston tout entier qui soufflait à l'intérieur de sa plomberie d'où s'échappaient les mesures d'*Alice* si vous appuyiez sur les pistons. En troisième arrivait l'accordéon manœuvré par Eugène des deux mains à la fois, la droite tirant et poussant diablement sur l'éventail pliable pour attirer la mélodie vers la gauche en direction des doigts sur les touches. Enfin venait Rosaire, tapi sous son chapeau bavarois et tapant sur ses tambours éperdument.

Ensuite d'autres chansons se sont ajoutées au concert, et Joëlle et moi on a dansé sur le rythme autour de l'ensemble avec nos jambes déchaînées. Dehors, les arbres levaient leurs branches sans feuilles vers le ciel comme des cheveux dressés sur la tête, et par-dessus les toits l'air devenait mauve, car le soir approchait. Sur sa chaise à roulettes, Jules frappait des mains et souriait, le corps rempli de mélodies. Et puis entre chaque chanson Rosaire aussi souriait, adressant des regards amoureux à Joëlle, c'était si touchant d'être marié à une fille qui faisait battre les cœurs mais qui n'était amoureuse que de moi pendant ce temps.

Mais, tous les deux jours, Jules devait encore recevoir une piqûre, et voilà pourquoi on le poussait alors jusqu'à l'hôpital sur sa chaise, puis Charlotte lui faisait son injection. Elle nous attendait dans son uniforme blanc bien rempli, incluant la petite coiffe avec une croix rouge sur le devant portée sur la tête comme une pancarte pour indiquer aux gens : *Attention, infirmière là-dessous.* Quand elle nous voyait arriver dans la section des détraquements, aussitôt elle empoignait sa seringue et disait *Et alors, monsieur Jules, comment vous allez, aujourd'hui ?* Elle lui descendait le pantalon dès qu'il était à sa portée, car Charlotte ne s'embarrassait pas de préambules quand il s'agissait de soigner les malades. Ensuite elle lui plantait l'aiguille rondement dans la fesse, et en moins de deux mon petit frère ne s'en était pas aperçu, tellement elle s'y connaissait. Après, Jules remontait son pantalon pendant que Charlotte lui tapotait la joue ou lui replaçait une mèche de cheveux, ou alors elle renouait les lacets de ses souliers joyeusement, je crois qu'elle trouvait mon frère joli garçon. Charlotte elle-même n'était pas du tout abominable avec son visage qui riait toujours et des mains distributrices de beaucoup de bonté dans leurs gestes envers les malades. Par exemple, un jour d'été dans la section des détraquements, un demeuré était sorti de son lit et il avait demandé à Charlotte d'aller lui enterrer ses pantoufles *dans le potager s'il vous plaît.* N'importe qui d'autre aurait refusé, parce que de nos jours les gens sont si raisonnables. Mais Charlotte avait dit *Oh, mais pourquoi ne viendriez-vous pas avec moi ?* Ensuite tous les deux étaient allés enfouir les pantoufles dans la terre, et deux jours plus tard un arbre à pantoufles rouges avait commencé à pousser dans le potager de l'hôpital. Quand elle nous a raconté ça, on a vu dans les yeux de Jules une petite pluie de pantoufles tomber pendant qu'il souriait, car c'était une histoire remplie de beauté par la bonté même qu'on devinait entre les mots.

Cependant Joëlle recommençait à fabriquer des vêtements sur la machine de monsieur Poussain. Le soir, après avoir travaillé longtemps, elle emballait le tout dans un grand sac, puis je sortais vendre la marchandise dans le quartier enfoui sous la neige. Au fil des rues je frappais aux portes et j'offrais mes trucs, mais souvent les gens n'avaient pas l'argent nécessaire, et voilà pourquoi ceux qui me prenaient quelque chose me payaient pour la plupart en victuailles. Puis, vers les onze heures, je reprenais le chemin du HLM. Parfois ce bon Léon, m'apercevant, sortait de sous un balcon et faisait quelques pas en ma compagnie, oh! comme c'était bon de sentir sa chaleur s'envoler de lui jusqu'à mes doigts! Par-dessus les toits et jusqu'au sommet du ciel, de petits mondes s'agitaient faiblement dans l'univers démesuré.

Un soir où je rentrais à la maison avec encore quelques vêtements dans le sac et quelques saucisses, voilà que je rencontre un homme encore jamais vu dans le quartier. D'où sortait-il, je n'aurais su le dire. Son visage et sa tête m'étaient inconnus. Sous son vieux chapeau aplati, on voyait ces cheveux gris et pas très entretenus. Après les présentations, on a marché un moment devant les maisons endormies. Il portait un manteau avec des boutons qui n'y étaient plus pour refermer quand c'était froid et beaucoup de trous, ainsi que des poches pareillement foutues qui laissaient dépasser les doigts quand il les y enfonçait. Les pieds, quant à eux, étaient plongés dans des bottes de caoutchouc bourrées de vieux journaux pour lutter contre le risque d'orteils frigorifiés et surmontées d'une fermeture éclair pour le verrouillage. Mais quand vous dépassiez la première impression vestimentaire, vous constatiez qu'il était sympathique à l'intérieur. Malgré sa tenue débraillée il ne se plaignait pas et ne demandait rien, ni argent, ni bouffe. Il parlait peu, mais chaque fois que des mots sortaient de lui, de petits soleils effrénés prenaient feu dans ses yeux, un peu comme dans la guirlande du caporal

Breadbaker. C'était un homme qui aimait beaucoup les astres, à tout bout de champ en pointant le ciel il disait *Regarde, mon gars, voici la grande constellation du Pivert!* Ou encore : *Oh, tu as vu Saturne? Voici Saturne!* et alors il exécutait un petit pas de danse hilarant sur la neige, c'était toujours comme s'il y avait un carnaval en marche au milieu de ses jambes. Et puis il baissait les yeux et aussitôt il recommençait à se taire, on aurait dit que les choses terrestres à ses yeux ne valaient jamais la beauté des choses suspendues si énigmatiquement là-haut.

À la fin il a demandé *Tu viens boire un café chez moi, mon gars?* Et parce qu'il faisait si froid j'ai accepté, et aussi parce que je voulais retarder encore un peu le moment où je rentrerais à la maison avec si peu d'argent dans les poches pour Joëlle et pour mon frère.

C'était un cul-de-sac coincé entre le coin des putains et les usines. Tout au fond il y avait ce tas de planches debout pour les murs et d'autres couchées dessus qui faisaient un toit, en plus de quelques couvertures et des trucs en carton au sol si vous vouliez vous asseoir. Pour la porte ce n'était qu'un rideau découpé dans du plastique et qui remontait en partie sur le toit, au cas où la pluie ou la neige se mêleraient de pénétrer par les fissures forcément. *C'est ici chez moi,* a-t-il dit en m'invitant à entrer, si on peut dire. À l'intérieur il a frotté une allumette, et ensuite deux ou trois bûches ont commencé à prendre feu dans un tonneau de métal pour le café. Pendant qu'on attendait l'eau assis sur le carton, je suis resté muet comme si j'étais mon frère, à cause de la surprise. Puis il a rempli ma tasse, et quand ça m'est descendu dans le gosier la parole m'est revenue dans la bouche. J'ai dit *Depuis trente ans je croyais vivre pauvrement, et voilà que je découvre que je suis riche avec mon trois pièces chauffé et ma télévision, et mon frigo, et mon lit avec Joëlle dedans, et mon frère de l'autre côté du mur.* Il n'a rien répondu et s'est mis à regarder par les fissures la constellation du Pivert, et alors

176

de petits flambeaux s'allumaient de temps à autre sur ses pupilles comme un cortège de ferveur dans le regard.

Après le café, j'ai dit encore *Prenez ce sac, il me semble que vous en avez plus besoin que moi.* Puis je suis sorti sans les pantalons de Joëlle, ni saucisses. Il a dit *Oh, ça alors, merci!* et puis j'ai pris le chemin du HLM sous le Pivert.

À la maison, quand Joëlle m'a vu arriver sans le sac, elle a été contente. Elle a demandé *Alors, tu as tout vendu, ce soir?* J'ai répondu *Non, j'ai tout donné à un type, parce que nous sommes très riches.* Ensuite, pendant une heure, elle a été fâchée formidablement. J'avais beau lui répéter qu'on était riches à crever, ça ne lui rentrait pas dans la tête, elle répétait sans cesse *Et le loyer, on va le payer comment? Et la machine de monsieur Poussain? Et tout le reste? C'est avec tes grands gestes de générosité qu'on va payer tout ça?* Après, elle est allée se coucher, moi je suis resté devant la fenêtre à regarder la nuit.

Bien sûr elle avait en partie raison, mais je continuais à penser qu'on était riches malgré tout, parce qu'en plus du HLM chauffé, du frigo et de tout le reste, on avait au-dessus de la tête la constellation du Pivert et tous ces trucs si beaux autour de nous qu'on pouvait regarder à perte de vue. Vers les trois heures je suis allé la rejoindre sous les draps. Elle ne dormait pas, voilà pourquoi j'ai dit tout bas dans son oreille *C'est vrai que l'argent c'est utile pour rembourser les tranches. Mais pour aider les gens à rester bien verticaux, il me semble que c'est encore la beauté qui gagne.* Après, j'ai dormi avec partout dans le corps le sentiment formidable d'avoir appris quelque chose ce jour-là. Plus tard dans la nuit, j'ai senti Joëlle qui venait se réchauffer contre ce corps endormi qui dormait avec moi à l'intérieur.

Au bout d'un moment on a voulu visiter le docteur M'Bélélé pour vérifier si les pilules, les piqûres et la cure de beauté amplifiée dans les rues du quartier avaient fait leur boulot et chassé la tourterelle hors de Jules. Quand Joëlle a appelé, il a dit *Venez chez moi, on sera mieux qu'à l'hôpital, vraiment.*

Il habitait rue du Trésor dans un quatre pièces peint en jaune congolais pour les murs, *parce que ça rappelle le soleil*, disait-il, et en vert au plafond, sans raison. Chez lui, la télé était toujours allumée avec sa femme juste devant qui vous disait *Bonjour* quand vous passiez, mais qui aussitôt revenait fébrilement à ses émissions. *C'est qu'elle souffre d'un dérèglement*, nous a-t-il murmuré après les présentations, en cachant ses mots avec sa main. Dans le corridor on a fait connaissance aussi avec Conrad en marche vers la cuisine. Conrad était un faisan qui passait ses journées à marcher dans le quatre pièces à la recherche de quelque chose à picorer. C'était une bête stupide jusqu'au trognon, que le docteur M'Bélélé avait achetée un jour au marché pour en faire un repas gastronomique, mais qu'il avait fini par adopter parce que le courage lui avait manqué au moment

179

de lui couper la tête. C'est du moins ce qu'il nous a confié, avec ses mots cachés encore une fois derrière sa main quand on a croisé Conrad dans le corridor. Partout aux murs il y avait des tableaux peints par le docteur M'Bélélé lui-même, car il maniait le pinceau à ses heures. C'était pour la plupart des portraits des membres de sa famille restée au Congo, toujours ça commençait par un sourire très panoramique à l'avant, suivi de la face surmontée des cheveux entretenus près de la tête, et enfin des oreilles de chaque côté comme deux morceaux de charbon à cause de la couleur de la peau congolaise. Derrière la tête vous aperceviez la rivière Oubangui ou le fleuve Congo parsemés de bateaux à plat ventre sur l'eau. Devant chaque portrait le docteur M'Bélélé s'arrêtait pour nous présenter son cousin, ou son beau-frère, ou sa sœur ou un autre parent.

Pour l'examen on s'est installés au salon. Mon frère a dû s'étendre sur le sofa, et muni de son entonnoir à tuyau le docteur M'Bélélé lui a fait répéter *Ces trente-trois truites sont-elles trotskystes ou travaillistes?* treize fois en lui écoutant les organes réagir à l'intérieur, y compris l'ensemble du corps rassemblé autour du squelette. Puis il est resté longtemps l'oreille collée sur le crâne à épier le moindre bruissement dans le bahut. Quand il s'est relevé, on a vu son sourire rutilant s'élargir à vue d'œil, ensuite il a dit *Mes amis, je crois qu'il est guéri, vraiment, ce garçon!* Alors on a tous crié *Hourra!* à s'en défaire les mâchoires, sauf la femme du docteur M'Bélélé occupée à ses émissions dans la cuisine. Après, le docteur M'Bélélé a mis Radio-Congo sur sa radio et on a tous dansé sur les chansons de son pays. C'était des chansons qui se mêlaient aux jambes avec entrain, à cause des tam-tams et des flûtes au bout des doigts des musiciens qu'on devinait aussi noirs que les oreilles dans la famille M'Bélélé. Au-dedans des cuisses quelqu'un vous chatouillait, et alors ça riait tant, rendu aux rotules, qu'il fallait se trémousser à vive allure sur le plancher. Quand il était heureux, le docteur M'Bélélé se transformait en excellent danseur avec ses pieds qui ne tenaient plus en place sans répit, et même Jules se dandinait malgré son corps encore saisi de maigreur et sa chaise musicale toujours prête à venir à la rescousse. Dans un coin, Conrad cherchait des graines.

Il était tard quand on est revenus de chez lui. Autour de nous, sous la neige qui tombait tranquillement, les maisons viraient au mauve, et de temps à autre des fenêtres s'allumaient au milieu. Alors on voyait les gens qui se réunissaient autour de la soupe. Sur le pas des portes, des chiens étaient couchés et attendaient tout aplatis que les maîtres leur ouvrent, sur leurs têtes de petites pyramides de flocons commençaient à se former. À un moment, une étoile filante a traversé le Pivert, et même un bout de la Redingote, et alors j'ai fait silencieusement le vœu de mourir avant mon petit frère. Car j'ai pensé *C'est si terrible de survivre à ceux qu'on aime.* Ensuite on a continué à marcher lentement tous les trois, un peu ivres d'être à ce point en train de vivre.

L a nuit venue, dans le lit Joëlle a demandé *Jérôme, et si le détraquement du petit revenait un jour? Tu crois que cette fois ça y est, qu'il est guéri pour de bon? J'ai si peur quand j'y pense!*

Elle était sans cesse si inquiète pour les autres. Quand elle passait par le hangar et que le caporal Breadbaker commençait à pleurer à cause du Viêtnam qui lui revenait, Joëlle le serrait toujours contre son cœur. La fois où Léon s'était fait briser la hanche par un camion, c'est Joëlle qui a soigné cette bonne bête pendant des semaines. Un jour, madame Bérimont avait fait une crise de sciatique terrible, et alors Joëlle était allée lui faire des compresses toute la nuit. Le matin quand elle est rentrée j'ai mis mon visage dans ses cheveux rouges et j'ai demandé tranquillement *Pourquoi fais-tu toutes ces choses pour les autres?* Alors elle m'a regardé d'un air étonné, puis elle a dit de sa voix douce *Quelles choses?* C'était si beau, cette bonté qui vivait à l'intérieur d'elle sans même qu'elle le sache.

Quelques jours plus tard on frappe à la porte, c'est monsieur Molinari qui me demande *Jérôme, je peux entrer ?* et le voilà qui entre. Tout de suite, juste à sa façon de froncer la broussaille des sourcils jusqu'à envahir les yeux, on voyait que quelque chose n'allait pas. Et puis sa bouche, d'ordinaire si fabricante de paroles tonitruantes, restait très inactive, sa langue créait beaucoup de silence, de même que la mâchoire qui restait sur ses positions. Une fois dans la cuisine il enlève son manteau, puis il se met à marcher de long en large entre le frigo et la table, ses mains réunies dans le dos juste au-dessus de la portière de la salopette. À la fin, Joëlle lui dit *Monsieur Molinari, je vous en prie, assoyez-vous et dites-nous ce qui vous tracasse.* Et alors il s'effondre sur une chaise comme un arbre abattu. C'était terrible, je ne l'avais pas vu aussi à plat depuis le jour de mon congédiement du Garage Molinari. Alors, Joëlle, Jules et moi on s'est assis en face et on a attendu que des mots sortent de lui. Mais rien ne venait, il restait au milieu de sa salopette à regarder la nappe. Ensuite il s'est énervé un peu, il a commencé à se frotter une main puis l'autre, ou alors avec ses doigts il tambourinait sur la table comme s'il tenait le rythme dans l'ensemble bavarois de Rosaire. Je le connaissais depuis dix ans maintenant, et au fil des années où j'avais travaillé pour lui on était devenus des amis, même si tous les deux on ne vivait pas dans le même monde, si on peut dire, lui tout farci du silence des choses célestes, et moi entièrement explosif à l'intérieur à cause de la détonation des choses terrestres à tout moment. Souvent, d'ailleurs, je me disais que si monsieur Molinari parlait toujours si fort avec des mots qui sortent de la bouche comme des cailloux, c'était peut-être pour couvrir tout ce silence entêté et un peu inquiétant qui venait de là-haut. Car à vrai dire il détestait le silence, surtout quand il frappait à la porte du ciel avec ses prières et que personne ne venait ouvrir. Au fond, monsieur Molinari souhaitait tellement qu'il y ait quelqu'un qui réponde qu'il faisait toujours du bruit avec ses paroles, c'était sa façon de croire en Dieu. Peut-être aussi notre amitié si étonnante s'expliquait-elle de cette façon, j'aimais chez lui ce silence qu'il chassait à grands cris cailouteux, et lui avait besoin des déflagrations qui me résonnaient sans cesse entre les organes vitaux.

Enfin, après un moment passé à s'énerver sur sa chaise, il a levé les yeux vers nous, puis il a dit cette phrase énigmatique.

Mes enfants, le ciel m'a lâché, c'est ce qu'il a dit.

Il a dit ça en abandonnant ses bras, c'est pourquoi ceux-ci sont tombés en bas de la table dans un petit bruit d'abattement au moment de glisser sur la nappe. Mais très vite il les a rappelés à son service pour s'enfouir la face à l'intérieur des mains tellement le désespoir lui remplissait la cervelle ce matin-là. Ensuite pendant quelques minutes il nous a raconté son histoire, avec les mots qui passaient entre les doigts et sa voix un peu caverneuse à cause de l'effet de grotte que ça faisait quand il parlait le visage là-dedans. *Ça ne m'était jamais arrivé. Mes prières ne servent plus à rien. On ne me répond plus. Des semaines que ça dure! Fini, plus rien, c'est comme parler à un sourd!* disait-il en résumé. Puis ses bras sont revenus le long de lui comme deux pendentifs et il est resté un peu penché vers la gauche sur sa chaise, retenu par ses bretelles.

Son regard était triste, à présent. Dehors, des enfants jouaient sur les trottoirs et lançaient de petits cris remplis de commencements. À un moment, un oiseau est venu se poser non loin d'eux et s'est mis à marcher dans la neige. Puis il s'est envolé, et alors on a vu que les traces de ses pattes formaient ces mots :

La pluie quand elle tombe
Les blés se penchent
Pour voir
Si elle n'a rien de cassé

Et alors dans les yeux de mon frère il y a eu des champs remplis de foin avec des laboureurs au milieu et leurs engins agricoles pour couper le tout. Dans un coin il y avait aussi des vaches nonchalantes qui chassaient les mouches avec leur queue comme chasse-mouches portatif. Plus loin c'était des lapins qui dévoraient des laitues fraîches et, sur le dessus, leurs oreilles dressées rappelant des périscopes. Mais monsieur Molinari regardait tant le ciel muet qu'il ne voyait pas toute cette beauté sous la fenêtre et dans le regard de Jules. *Le ciel m'a lâché*, répétait-il à profusion, *le ciel m'a lâché, que me reste-t-il à présent?* J'ai eu envie de dire *Oh! mais monsieur Molinari, vous nous avez, nous.* Seulement, Joëlle, mon frère et moi on n'avait que le bruit des choses verticales à lui offrir, était-ce suffisant pour le consoler de l'inexistence persévérante de son dieu?

C'est une question qui vous venait.

E t puis il est reparti. Par la fenêtre on l'a vu traverser la rue pour entrer au boulot chez Vittorini. À l'intérieur il a enlevé son manteau, puis derrière le comptoir il s'est mis à faire tournoyer des pizzas, sans conviction. Souvent même, il s'arrêtait entre deux tourbillons, puis il restait tout pensif avec la pâte pendouillante dans les mains, alors la pizza perdait la forme, et voilà pourquoi ça n'entrait plus dans les boîtes.

La nuit suivante on a entendu sous le lit le violon triste de la vieille souris. C'était une musique qui ne vous entrait pas par les oreilles en premier, ça suivait d'abord une route plus secrète et sans lampadaires en chemin. Puis les notes arrivaient au cœur, et alors quelqu'un appuyait sur un bouton ou actionnait une manette à l'intérieur de vous pour démarrer la pompe à tristesse. À ce moment, le corps se relâchait tranquillement et vous entriez dans une sorte de petite mort graduée, quelque chose en vous crevait peu à peu comme une enfance quand il faut vieillir. Ensuite, même ainsi mort j'ai remonté les couvertures sur ma dépouille et j'ai cherché dans la nuit la chaleur de Joëlle étendue tout près. Pendant longtemps on a écouté les notes qui flottaient dans la chambre, et à la fin Joëlle a murmuré *On dirait une prière*. Puis j'ai pensé *Oui, une prière sans dieu au bout. Une prière terrestre, en somme.*

Au début de février, un ouvrier a commencé à poser des briques sur la façade de l'ancien Garage Molinari. C'était un type avec des mains remplies de gestes à répétition qui s'y connaissait quand il s'agissait de faire avancer un mur vers le haut. Sans cesse, muni de sa truelle, il tartinait en sifflotant ses briques de ciment, puis chacune allait rejoindre les autres, et alors le mur montait, montait. Il tartinait si rondement qu'à tout moment un autre ouvrier devait venir vider une brouette pleine de briques sur le tas qui disparaissait à vue d'œil en direction du mur. Alors les deux en profitaient pour échanger une bonne blague, et ensuite ça riait à s'en taper les cuisses devant la porte. Tout autour, les gens passaient avec la tête enfoncée dans leurs manteaux. Quand ils expiraient, un petit brouillard sortait d'eux à cause du froid, ça rappelait les trains au charbon et leur fumée avant les TGV et tous ces engins sortis du ventre du monde moderne, cette gigantesque machine à se dépêcher.

Caché non loin de là, Édouard regardait le mur monter sans rien dire.

Un vendredi, Joëlle et moi on s'est aperçus que Jules était devenu amoureux. Pendant le déjeuner mon frère semblait tout farci de rêverie. Ensuite il est resté assis devant la fenêtre avec ses yeux qui ne regardaient rien et sa bouche qui souriait perpétuellement. Des heures durant il a laissé son grand corps amaigri en stationnement sur la chaise, pendant que les bras tombaient de chaque côté. Mais ce n'était pas tellement le corps qui importait, ce qu'on remarquait surtout, c'était cette impression que le petit flottait autour de lui-même sans ses membres et tout le reste qui ne servaient plus à rien pour le contenir. Je n'oserais parler de l'âme, puisque l'âme n'existe pas, mais tout de même, quelque chose, disons le carburant de mon frère, semblait danser une rumba autour lui. C'était un truc invisible mais qui existait pourtant bel et bien, parce que quand vous passiez près de la chaise vous sentiez un petit carambolage musical vous empoigner les jambes. Parfois cependant mon frère semblait rappliquer en lui-même, et alors son corps se levait et allait replacer ses cheveux avec de l'eau, puis il revenait s'asseoir à la fenêtre. À un moment aussi, le corps de Jules l'a transporté jusque dans la chambre, et après avoir fouillé dans tous les tiroirs il a enlevé son vieux pantalon pour enfiler celui des grandes occasions en tissu infroissable vert. Et ensuite le voilà encore revenu à la fenêtre, rêvassant et tout environné de son carburant. *Quel est donc ce mystère? On dirait qu'il veut plaire à quelqu'un dans ses rêves,* me disais-je, la tête dans l'embrasure de la porte pour l'observer à loisir.

Puis, à la fin de la journée, Joëlle s'est approchée doucement et elle a pris le visage de Jules entre ses mains. Et alors dans les yeux de mon frère elle a vu Charlotte glissée dans son costume blanc tout rempli de formes abondantes, les hanches généreuses comme des poiriers sur le point de lâcher des milliers de poires bien mûres. Sur la tête, il y avait aussi la coiffe d'infirmière avec un petit cœur rouge sur le devant à la place de la croix.

C'est pourquoi on est allés tous les trois dès le lendemain demander à l'hôpital l'adresse de Charlotte, car mon frère n'en finissait plus d'être amoureux et rempli de rêverie seul devant la fenêtre. Aux détraquements, le docteur M'Bélélé était en train de travailler à l'amélioration d'une autre machine inventée de ses propres mains et construite à l'aide de planches et de tôles soudées. *Vraiment, c'est pour soigner ma femme,* nous a-t-il confié en soulevant de son visage le casque de soudeur. En gros, ça ressemblait à une boîte assez grande pour contenir l'équivalent d'une personne au complet si vous gardiez les mains dans les poches et que vous acceptiez d'être enfermé là-dedans. À l'intérieur, le docteur M'Bélélé avait peint des morceaux de son Congo natal et encore plusieurs membres de sa famille qui attrapaient des poissons dans la rivière Oubangui et souriaient énormément chaque fois que ça mordait. Pour y voir clair, une ampoule était vissée dans le coin supérieur avec une cordelette pour tirer dessus et éteindre si on en avait assez du Congo, du poisson et de la famille. Enfin, sur le dessus, tout un car-naval de fils électriques, d'engrenages et de voyants lumineux servait de cervelle à la boîte quand vous fermiez la porte pour commencer l'expérience. Une fois que sa femme était bien debout là-dedans, le docteur M'Bélélé lui collait un entonnoir à tuyau sur le cœur. Le tout était relié à son tourne-disque dans la pièce à côté. Et alors, pendant une heure, la musique entrait dans le cœur de madame M'Bélélé. Ensuite il lui ouvrait fébrilement la porte et lui demandait, tout tremblotant : *Marie, comment te sens-tu, vraiment ?* Mais toujours elle répondait *Où est le télé-horaire ?* et alors de petites larmes de déception venaient mouiller la joue du docteur M'Bélélé.

Jusqu'ici je n'ai obtenu encore aucun résultat valable, vraiment, nous expliqua-t-il en nous faisant visiter la boîte. *Peut-être est-ce à cause de ces trente-trois tours : j'en ai si peu. Mais, un jour, j'espère avoir assez d'argent pour en acheter des tas, vraiment, et ce jour-là je trouverai bien la musique qui guérira ma femme*, dit-il doucement à la fin.

Puis il nous a donné l'adresse de Charlotte, et Joëlle et moi on est repartis avec mon frère. Il fallait pour se rendre chez elle traverser le coin des putains, puis vous arriviez rue du Nénuphar. C'était une rue à perte de vue car vous n'aperceviez pas la fin quand vous y entriez, tellement les HLM formaient un convoi à n'en plus finir de maisons attachées les unes aux autres non seulement par les briques, mais aussi par la pauvreté immense qui les unissait. Sur les trottoirs, quand on passait près des enfants, on entendait les poux qui criaient sous la tuque *Aargh! Bon sang, on étouffe! Ouvrez!* Ce jour-là les nuages lâchaient encore un peu de flocons sur le quartier, et quand ça touchait le sol, de petits buissons à souris commençaient à pousser par endroits, et c'est pourquoi les gens devaient mettre des pièges partout sur les balcons. Souvent aussi, les carreaux des fenêtres étaient cassés, et alors les locataires avaient posé du carton à la place. À cause du carton le soleil n'entrait plus beaucoup.

Au 45 on a frappé, et quand Charlotte a ouvert, c'était si beau de voir son visage souriant d'un bout à l'autre après avoir marché rue du Nénuphar. *Oh! Mais comme c'est gentil de venir me visiter!*

dit-elle, et voilà qu'on entre tous les trois. Aussitôt là-dedans, Jules a recommencé à flotter par morceaux à l'extérieur de son corps. Avec la présence de Charlotte elle-même flottante, on aurait dit un petit parc d'attractions aérien dans la cuisine. Quand leurs regards se croisaient, ça prenait feu dans les yeux, puis les mains ne savaient plus se contenir et devenaient toutes moites et essayaient de penser à autre chose. Leurs jambes aussi ramollissaient à vue d'œil, car tout le squelette semblait absent pour l'instant, et c'est pourquoi Charlotte nous a offert du thé. Quand on a été assis ça s'est calmé un peu, mais à tout moment un morceau de mon frère intérieur quittait la table et s'en allait tourner autour de Charlotte. Elle-même abandonnait son corps très souvent, puis elle partait à la rencontre des morceaux de Jules, et alors si vous étiez attentif vous entendiez les notes d'une petite valse devant le frigo, oh! comme c'était bon de voir mon frère si heureux après tous ces détraquements! Sous la table, deux souris grises écoutaient la valse aussi et se serraient l'une contre l'autre. Parfois leurs petits yeux noirs se rencontraient, et alors l'une d'elles allait se lisser le poil de la tête avec de l'eau puis revenait aux côtés de sa compagne pour la suite de la musique.

Au bout d'une demi-heure, tous les morceaux aériens de mon frère et de Charlotte nous ont quittés, sont entrés dans la chambre et ont refermé la porte derrière eux. Joëlle et moi, on a souri et on est restés là sans parler, avec leurs corps inhabités et attablés devant nous.

Vers les six heures le soir est venu, et Jules, Joëlle et moi on est repartis. À la porte, Charlotte a dit à mon frère *À bientôt !* puis on a repris les trottoirs rue du Nénuphar. Au-dessus de nos têtes la lune montait, et à gauche le Pivert allumait sa petite foire d'étoiles dans le ciel du quartier. Ensuite Léon est sorti d'une ruelle, il est venu trottiner à nos côtés avec ses quatre pattes qui ne laissaient que trois traces dans la neige, à cause de la quatrième trop courte pour toucher les flocons éparpillés rue du Nénuphar. À un moment, pour le laisser souffler, on s'est arrêtés sous le Pivert, et Joëlle et moi on lui a raconté pour mon frère et Charlotte en lui caressant la truffe. Il nous écoutait, tournait à tout instant sa tête hirsute vers mon frère comme pour dire *Oh ! comme c'est bien !* car les chiens se réjouissent toujours de la bonne fortune des gens. De son côté, Jules lui flattait le dos sans parler, bien sûr, mais les mots étaient-ils si nécessaires, après tout ? Car on aurait dit que des paroles étaient fabriquées par ses mains pendant que les doigts se promenaient sur le poil de cette brave bête. Après tout, que sont les gestes, sinon de petits morceaux de ce que nous sommes, reconduits à la porte de nos corps, puis lancés dans l'air pour aller toucher les autres? Que sont les gestes, sinon des paroles silencieuses revêtues d'un peu de nous-mêmes, ce vêtement vertical et sans cesse farci de vie, de mort et de rêveries diverses?

Oui mais voilà, tandis que ces événements se déroulaient sous nos yeux, un malheur s'approchait, aurait-on dit. Car pendant ce temps, monsieur Molinari devenait chaque jour un peu plus mélancolique. Le matin on le voyait arriver chez Vittorini, ses pieds traînant dans la neige et laissant derrière ses bottes les traces d'un homme en perdition.

Un soir, après son dernier pantalon, Joëlle s'apprête à éteindre, quand soudain qu'aperçoit-elle chez Vittorini, en face, à cette heure tardive ? Une lumière qui filtre à travers la vitrine. Aussitôt la voilà qui vient me pousser hors du lit, qui me jette mon manteau sur le dos, et alors nous voici tous les deux en chemin, car c'était louche. On arrive à la porte de chez Vittorini : rien n'est verrouillé, malgré l'heure de fermeture passée depuis un moment déjà. Alors on entre. À l'intérieur tout est silencieux, excepté ce crépitement minuscule et cette odeur de roussi en provenance du plancher derrière le comptoir. Joëlle saisit ma main comme on saisit un gourdin, et ainsi armée elle s'approche pour voir un peu. Arrivés au comptoir on se penche par-dessus et que voit-on ? Monsieur Molinari, accroupi sur le plancher, en train de brûler son crucifix entre deux sacs de farine.

Je crois qu'il se vengeait, qu'il voulait que son dieu meure une deuxième fois, me dira Joëlle plus tard. Et peut-être avait-elle raison, mais moi je crois plutôt qu'il séchait simplement toute cette eau tombée sur ses joues depuis que son dieu l'avait lâché.

Alors on lui a mis son manteau sur les épaules, puis on l'a pris avec nous pour l'emmener au HLM. En chemin il restait silencieux, et son corps se penchait un peu sur moi comme s'il pliait sous le poids de quelque chose de terrible. Ses yeux se posaient sur les objets et les maisons tout autour, mais ce n'était plus le regard de quelqu'un qui reconnaît les choses, on aurait dit que pour lui *voir* ne suffisait plus à l'empêcher de se cogner à la réalité. Là-haut, Joëlle a fait du café très fort, et après une tasse on a senti que le mécanisme s'était un peu remis en route dans monsieur Molinari, car il nous a fixés dans le regard comme jamais. Ensuite il m'a dit *Jérôme, au nom de l'amitié que j'ai pour toi, je t'en prie, accepte ceci.* Puis il fourre sa main dans la poche centrale de sa salopette et il sort sa clé à molette. *Depuis la vente du Garage, je ne m'en suis jamais séparé. C'était, comment dire, une sorte de talisman, de porte-bonheur. À présent je te l'offre. Peut-être saura-t-elle attirer plus de joie sur ta jeune tête que sur ma vieille poire d'Italien désespéré*, a-t-il ajouté après. Puis il a tourné son visage vers la fenêtre et il s'est mis à regarder la nuit, mais avec ce même regard aussi vide que la boîte du docteur M'Bélélé, là-bas, aux détraquements. C'était même pire encore, car il n'y avait plus dans les yeux de monsieur Molinari ni ampoule pour éclairer le paysage, ni même de cordelette pour tirer dessus.

En bas dans la rue la réalité continuait, avec le monde plongé dans la nuit et le ciel par-dessus qui le recouvrait de ses étoiles, pour faire plus beau.

Cette histoire de boîte à musique, aux détraquements, ça m'avait un peu pris aux tripes. Alors les soirs suivants, quand j'allais frapper chez les gens pour leur vendre mes pantalons, je demandais *Ça vous dirait de me payer en trente-trois tours ?* Et souvent je repartais avec un twist ou un fox-trot dans mon sac. Et puis le jour je faisais encore de petites tournées chez les gens, partout je disais *Si vous aviez un ou deux trente-trois tours à me refiler, c'est pour la boîte du docteur M'Bélélé aux détraquements, car sa femme qui est enfermée dedans souffre d'un dérèglement terrible.* Alors tous allaient fouiller dans leurs armoires et revenaient à la porte avec leurs vieux enregistrements. En deux semaines j'ai ramassé quarante rock and rolls, vingt-neuf rumbas, vingt-deux twists, quinze fox-trots, dix-sept biguines, six javas, cinq passe-pieds, trois pouf-poufs yougoslaves et deux cake-walks. Puis un matin j'ai dit à Joëlle et au petit *À présent, allons trouver le docteur M'Bélélé.*

Quand on a frappé rue du Trésor, le docteur M'Bélélé était en train de travailler sur les plans d'une autre machine à guérir les gens. Car c'était un homme bon, c'est-à-dire qu'il cherchait toujours des façons d'améliorer la vie. Sans arrêt il se creusait la cervelle à la recherche des moyens à prendre pour qu'après tous ces siècles de bêtise cessent enfin les guerres, les famines, les inégalités et toutes ces mochetés que nous nous fabriquons inlassablement. Alors il construisait des machines à réparer la santé, c'était sa façon à lui de rendre la vie plus jolie. *Un jour peut-être, d'autres que moi construiront des appareils à ne plus souffrir, mettront au point des mécaniques capables d'arrêter le malheur, des engins qui stimuleront notre goût de l'entraide, et même, qui sait, des machines à être heureux, vraiment. Ce jour-là, vraiment, les choses changeront.* C'est ce qu'il disait lorsqu'il était penché sur ses plans, ou sur ses boîtes étranges et variées.

Dans la cuisine, Joëlle a dit *Nous sommes venus vous apporter ces quelques disques. Peut-être toute cette musique fera-t-elle du bien à votre femme ?* Quand il a aperçu le sac débordant d'enregistrements, le docteur M'Bélélé a laissé tomber son crayon sur le linoléum tellement ça l'a laissé tout pétrifié de surprise. Dans un coin, madame M'Bélélé regardait la pluie tomber sur la chaîne météo. Sous la table, Conrad picorait comme un fou dans un morceau de pain sec. Dehors, la lumière tapissait les choses.

Ensuite voici ce qui est arrivé, il a dit à sa femme en la prenant doucement par le bras *Allez, viens, Marie, on s'en va écouter un peu de musique, vraiment.* Et alors on a filé tous les cinq aux détraquements dans son auto à vive allure, car le docteur M'Bélélé souhaitait de tout cœur pouvoir guérir sa femme à coups de trente-trois tours. On a traversé le quartier à cent à l'heure, et pendant le trajet mon frère et moi on a sorti la tête par la fenêtre dans l'air frisquet. À la longue ça nous a fait une petite ébriété à cause de la vitesse qui vous rentrait dans les narines puis qui venait attiser le feu passionnel à l'intérieur. Tout autour, les maisons défilaient comme les victuailles sur le comptoir à pédales à l'épicerie de madame Doubska, et c'est pourquoi à ce moment j'ai eu une pensée pour Jerzy toujours si gentil. Oh ! comme les choses seraient plus simples si tous les gens étaient comme Jerzy, si flegmatiquement bourrelés de bonté ! Oh ! comme je comprenais le docteur M'Bélélé de toujours inventer de nouvelles boîtes à améliorer la vie !

À l'hôpital, le docteur M'Bélélé a installé sa femme dans la boîte congolaise, et avant de refermer il a dit *N'oublie pas, Marie, si tu préfères ne pas voir mes peintures, tu éteins la lumière, vraiment.* Ses *peintures,* c'est ainsi qu'il désignait les portraits qu'il avait faits de chacun des membres souriants de la famille M'Bélélé sur les bords de la rivière Oubangui. Pendant deux heures il a gavé le tourne-disque de musiques diverses. Dans le corridor, quand le personnel passait devant son laboratoire, beaucoup s'arrêtaient un moment et lançaient un regard intrigué à travers la vitre, car ce n'est pas tous les jours que vous soignez les gens avec de vieux enregistrements jouant à tue-tête dans une boîte aux murs couverts de vos membres peints.

À la fin il a dit *Okay, vraiment, je crois que ça suffira.* Puis il a fait cesser la musique et s'est dirigé vers la boîte. Mais au moment d'ouvrir, tout son corps s'est mis à trembloter à cause de l'émotion qui lui secouait les ossements. *Vraiment je... je ne peux pas... Tu veux bien ouvrir cette porte à ma place, mon petit?* a-t-il alors demandé à Jules. Et Jules a ouvert.

Là-dedans, madame M'Bélélé restait debout sans rien dire devant le paysage congolais et les membres peints de son mari. Après une minute très immobile, le docteur M'Bélélé a demandé d'une voix qui rappelait le froissement d'ailes des canards quand ils grimpent sur le vent : *Comment te sens-tu, Marie ?*

Mais encore une fois madame M'Bélélé n'a fait que répéter *Bon sang, où est encore passé ce téléhoraire ?*

À ses pieds dans la boîte, des milliers de notes gisaient pêle-mêle, puisque aucune ne lui était entrée dans le cœur pendant tout ce temps.

Et puis, la nuit du vingt-deux, la tourterelle est revenue dans le corps de mon frère. C'était une nuit remplie d'obscurité du début à la fin, et si débordante d'inquiétudes multiples qu'à l'intérieur du corps la fabrique à sommeil ne parvenait jamais à se mettre en marche.

Tout était silencieux dans le HLM, quand soudain on a entendu de l'autre côté du mur les premières notes d'une chanson de tourterelle dans le pyjama de Jules, car il y dormait, comme chaque nuit après avoir laissé ses vêtements inhabités sur la chaise. Aussitôt, le cœur saisi de crainte, Joëlle et moi on s'est levés pour y voir de plus près. Dans sa chambre, mon frère sommeillait toujours et ne semblait pas se rendre compte du retour de la tourterelle. Alors je l'ai pris par les épaules et je lui ai demandé doucement *Jules, dis-moi, tu vas bien à l'intérieur?*

Mais mon frère n'a pas répondu, il n'a pas même fait un signe, et ensuite vous aviez beau le secouer dans tous les sens, il restait enfermé dans son sommeil d'où sortait la plus triste des chansons de tourterelle triste jamais entendue de mémoire d'homme, ça oui.

Après avoir promené un moment son enton-noir à tuyau sur mon frère, le docteur M'Bélélé a dit *Cette fois, cette damnée tourterelle est allée se loger dans le cœur. Après le ventre et la tête, la voici dans le cœur, vraiment.* Quand il a pro-noncé ces mots c'est comme si quelque chose de très lourd était venu se poser sur les épaules de Joëlle, car je l'ai vue s'affaisser légèrement dans la lumière grise de l'aube. Mais aussitôt elle s'est redressée, à cause du courage qui courait sans cesse dans son si joli corps. Car Joëlle était ainsi faite : en elle, la force et la fragilité se voisinaient toujours, c'était une libellule qui portait le monde sur son dos. Moi j'aurais voulu connaître aussi cette force, seulement j'étais si bourré de doute, au milieu de moi-même le bruit des choses ter-restres occupait tant et tant d'espace qu'il ne restait plus de place pour le silence, cette grande fabrique de ressort à l'intérieur des gens courageux. Et souvent, le soir, avant qu'elle s'endorme, je mur-murais à Joëlle *Aime-moi toujours, petite libellule.*

Il a fallu avertir Charlotte. Vers les dix heures j'ai pris le combiné pour appeler rue du Nénuphar, et alors j'ai composé trois fois la boucherie de monsieur Paul sans faire exprès, car j'étais si nerveux à l'intérieur des doigts! À la fin Charlotte a répondu, et j'ai dit *Bonjour, Charlotte, c'est Jérôme.* Mais comme chez toutes les filles, son appareil intérieur à détecter les trucs invisibles s'est mis en marche aussitôt. Ai-je eu la berlue dans l'oreille, je l'ignore, mais à ce moment j'ai entendu quelqu'un lever une manette au creux de Charlotte, et c'est pourquoi son intuition a commencé à fonctionner à plein régime, d'où cette question avec un petit cyclone d'appréhension dans la voix : *Il est arrivé quelque chose à Jules?* C'était toujours mystérieux de sentir les engrenages de l'émotion se mettre en branle dans les gens à si vive allure pendant que le cerveau restait dans son coin et attendait de servir à quelque chose. Un jour il faudra répondre à cette question : pourquoi la raison est-elle toujours plus lente à secouer les gens que le sentiment? Mais aussi, peut-être le cerveau ne fonctionne-t-il qu'à vitesse limitée, peut-être, après tout, n'est-il qu'une sorte de comptoir à pédales mis en mouvement par un emballeur un peu fainéant. Pourtant, la raison et le cœur ne vivent-ils pas sous le même toit, ne sont-ils pas remués par les mêmes poulies dans l'obscurité de nos corps ? Ne sont-ils pas frère et sœur, pour ainsi dire ? Après tout, une émotion, ce n'est qu'une idée qui a dénoué sa cravate, il me semble. C'est de la même famille.

Au bout du fil j'ai dit *Vers les trois heures, la nuit dernière, une tourterelle triste a fait son nid dans le cœur de mon frère, et depuis le petit gît comme s'il avait les pieds devant, c'est-à-dire qu'il passe son temps dépourvu de conscience.* Pour Charlotte c'était terrible à entendre, et la voilà qui tremblote de toutes ses cordes vocales au moment de continuer la conversation, mais elle garde son cran malgré tout, car en plus de leur appareil de détection, les filles ont une pompe à courage supérieure. Tout de même, à partir de là, les mots tremblent dans le téléphone, et quelque chose flanche dans Charlotte juste à côté de son courage. Je dis *Charlotte, à présent il nous faut tous rassembler notre sang-froid et tirer mon frère de là. Ah ! comme les choses seraient plus simples si le dieu de monsieur Molinari existait ! Oui mais voilà, à part les astres, le ciel est vide, et nous sommes si incorrigiblement seuls en dessous. Alors on n'a pas le choix, il nous faut rassembler notre sang-froid et ne compter que sur nous-mêmes pour sauver mon frère.* Puis je passe le combiné à Joëlle. L'oreille collée dessus, elle ne dit rien pendant un long moment, parce que, rue du Nénuphar, Charlotte sanglote.

Alors a commencé une longue période de désolation et d'inquiétude. Pendant ces jours terribles passés au chevet de mon frère inconscient et étendu au creux de lui-même, le ciel est devenu furieux et faisait tomber sur le sol des tas de vilains flocons gris. À toute heure du jour le vent arrivait avec empressement et sifflait des mélodies funestes qui voyageaient entre les maisons et jusque sous les balcons. Et alors, dans les ruelles, le poil des chiens se dressait, et même la queue des chats ressemblait aux brosses des ramoneurs tellement ça vous glaçait le sang. Et puis chaque nuit, là-haut, des dizaines d'étoiles se décrochaient de la grande patère du ciel et venaient se fracasser sur les trottoirs du quartier. Quand elles touchaient le sol ça faisait un petit bruit de verre brisé, et alors quelque chose de mauvais et d'aérien en sortait. Dans les rues, les gens murmuraient entre eux : *Ce sont les âmes des morts qui reviennent sur Terre !* Mais allons donc, l'âme n'existe pas, on aurait dit plutôt de ces petits messages cachés dans les biscuits chinois quand vous les émiettez pour connaître l'avenir. Mais toujours le message était terrible, et toujours quand vous entendiez une étoile se casser sur le trottoir, un léger tremblement venait vous secouer l'anatomie, vous vous demandiez *De quoi demain sera-t-il fait ?*

Mon frère cependant restait tous les jours privé de conscience et ne se doutait probablement pas de la grande plante d'épouvante qui grandissait en nous. À cause de cette épouvante, souvent, le soir, des rivières au complet nous tombaient sur les joues. Car au milieu de la peur de perdre ceux qu'on aime, il y a toujours une sorte de tristesse.

On aurait dit que son corps lui-même, à présent, avait perdu l'usage de la parole. Mon frère avait-il avalé son silence, se l'était-il incorporé au plus profond de sa personne après toutes ces années passées à le répandre sur le monde extérieur ? Oh ! comme c'était étrange de le voir ainsi reposer dans son mutisme désormais ravalé, retourné comme une veste sur une chaise ! Comme c'était affolant et énigmatique de le savoir ainsi allongé dans ce faux trépas tout rempli de l'apaisement terrible et horizontal de la mort !

Mais un jour quelque chose est arrivé. On était Charlotte, Joëlle et moi autour du lit à surveiller mon frère. À un moment, Charlotte a fait le geste de lui replacer doucement les cheveux avec sa main, même si les cheveux étaient déjà en place. C'est que les mains de Charlotte se sentaient toujours inutiles quand elles ne distribuaient pas de gestes de bonté. C'était des mains très secourables, qui venaient sans cesse compléter la besogne des bras quand Charlotte s'en servait pour enlacer les gens s'ils avaient besoin de réconfort à l'hôpital. Quand elles s'ouvraient, la vie devenait meilleure, parce qu'il y avait entre les doigts de petites paroles silencieuses qui venaient se poser sur le visage des gens comme une caresse et qui aussitôt prenaient la route en direction du cœur, cette caisse à sentiments. Ça rappelait un peu la boîte à musique du docteur M'Bélélé quand il installait l'entonnoir sur le cœur de sa femme, mais pour Charlotte c'était différent, lorsque ses mains touchaient les gens on sentait à tous les coups le réconfort de la grande mécanique émotive. Et puis, les jours de chagrin, il y avait toujours, dans les mains de Charlotte, de petits trapézistes, ou des otaries avec un ballon sur la truffe, ou alors des dompteurs de tigres pour vous mettre un peu d'enfance devant les yeux, et parfois aussi des paysages campagnards et paisibles. Des orchestres venaient y jouer des mélodies. Des chiens de toutes sortes, aux pelages hilarants, s'y prélassaient, rêvant de ragoûts ou d'os à gruger. La lune s'y levait comme une petite victoire, avec ses drapeaux américains plantés dessus. Souvent, des bêtes ruminantes y broutaient de l'herbe sous des soleils lents à traverser le ciel, car la lumière est terriblement belle quand elle s'étire pendant que le jour passe sans se soucier de nous. C'était de belles mains à cause de tout ça.

Donc, Charlotte replace les cheveux du petit, et voici ce qui arrive. Pendant que les doigts sont encore dans la chevelure, on voit tous les trois sur le visage de Jules la bouche qui se déplace dans les coins pour dessiner un sourire très doux. Et nous voilà stupéfaits et penchés sur mon frère comme sur le ciel quand il envoie ses étoiles filantes pour le plaisir des yeux, ou sur la guirlande du caporal Breadbaker et ses astres parfaitement magnifiques et alignés.

Tous les jours le docteur M'Bélélé avait beau examiner Jules de la tête aux pieds, puis lui écouter le contenu à perte de vue, rien ne laissait supposer que le petit entendait la vie continuer pendant son sommeil. Mon frère était un cas qui dépassait les limites de la science moderne. Même endormi, son corps restait muet comme une truite et ne livrait jamais les secrets qui lui flottaient dans les entrailles. Alors le docteur M'Bélélé rangeait ses outils dans sa trousse, il reposait son chapeau de guépard sur sa tête et il repartait, il disait *Vraiment, je ne sais que dire. Il respire normalement, tous ses signes vitaux sont dans les normes. Il n'est même pas nécessaire de le transporter à l'hôpital, vraiment. Quant à moi, il n'est rien que je puisse faire, à part lui donner une piqûre de jus de rutabaga de temps à autre, ou de solution de bonbon à la moutarde. Attendons, mes amis, attendons encore. Vraiment.* Et ensuite il regagnait sa voiture, tout débordant de tristesse parce qu'il se sentait si impuissant, et aussi parce que de son côté ça ne s'arrangeait pas non plus pour sa femme.

Alors la maison retombait dans une sorte de silence gris, et Joëlle et moi on restait à surveiller

Jules. À tout moment on refaisait des tests de sourires, on lui disait des choses avec les mains. Mais rien n'arrivait sur son visage, la bouche de mon frère restait sans cesse stoïque. Puis vers les quatre heures, après son travail à l'hôpital, Charlotte venait frapper, et quand elle arrivait au chevet du petit, c'était comme si quelque chose redémarrait au creux de lui. Charlotte n'avait qu'à poser sa main sur les cheveux de Jules, et aussitôt mon frère recommençait à sourire, quoique toujours endormi obstinément. Chaque fois ça nous remuait un peu la pompe à espoir, car on devinait que malgré son apparence horizontale quelque chose restait allumé dans mon frère : une lampe, une luciole, un feu ?

Plus tard, autour de nous, le jour s'en allait, et Charlotte, Joëlle et moi on passait à la cuisine pour avaler un bol de soupe au potiron. De la chambre, on entendait parfois la chanson triste de la tourterelle. Dehors, un peintre invisible trempait son pinceau dans l'obscurité, et peu à peu la nuit recouvrait le quartier. Puis Charlotte rentrait chez elle, et dans les traces que ses pas laissaient dans la neige on voyait des choses tristes : des rivières sans poissons dedans, des soleils sans potagers à chauffer en dessous, des guitares sans les notes qui sortent du trou, et aussi des arbres fruitiers sans les poires accrochées aux branches.

Une nuit, vers les deux heures, une chanson plus mélancolique encore nous réveille, Joëlle et moi. Nous voilà tendant l'oreille, car ça provient de la chambre du petit. Doucement les notes traversent la cloison et commencent à flotter autour de nous. Dans le noir on reconnaît tous les deux la voix de la tourterelle qui chantonne :

Molinari
A des ennuis
Car à notre époque
Comment trouver Dieu
Quand tous les chemins
Mènent à l'Homme ?

Sous le lit trois souris grises écoutent aussi.

Un samedi matin, pendant que le soleil brillait faiblement, le téléphone a sonné. C'était le docteur M'Bélélé au bout du fil. Le voilà tout fébrile qui dit *Tout à l'heure j'ai pensé à quelque chose, vraiment. Puisque votre frère semble avoir malgré tout une certaine conscience des choses environnantes, je propose de faire une expérience. Il s'agirait, vraiment, de lui faire suivre une nouvelle cure de beauté, mais en lui faisant vivre cette beauté du dedans, si j'ose dire. Ce serait une cure de beauté intérieure, en somme, vraiment.* J'ai répondu *Oui, mais comment faire entrer la beauté à l'intérieur de mon frère s'il dort de tout son corps?* Et il réplique dans le combiné *Oh, mais puisque Charlotte est la seule personne capable de le faire réagir, il faudrait bien sûr s'assurer de sa collaboration. Je ne sais pas, moi. Peut-être pourrait-elle lui murmurer des choses à l'oreille, vraiment. Des choses qui font plaisir à entendre au dedans.*

Une demi-heure après, je frappe rue du Nénuphar. Charlotte ouvre et je dis *Bonjour, Charlotte, pour guérir Jules le docteur M'Bélélé pense qu'on pourrait commencer une cure de beauté en envoyant des trucs qui font plaisir aux yeux dans la cervelle de mon frère mais en se servant des oreilles, peut-être avec vos mains si pleines de réconfort muet ?*

Et nous voici tous les deux en route vers mon frère, tandis que les passants nous regardent, intrigués, et les chiens aussi, avec leur truffe humide et leurs oreilles dressées sur la tête.

Quand Charlotte arrivait près du lit, d'abord elle posait sa main sur la main de Jules, et alors on aurait dit qu'une vie commençait de la tête aux pieds de mon frère. Bien sûr on ne pouvait pas savoir ce qui se déroulait à ce moment dans le petit, mais de l'extérieur, en tout cas, c'était comme s'il se transformait en projectionniste, car partout dans la chambre l'air se remplissait de ces images de gros chiens. Tant que Charlotte restait, les chiens flottaient dans la chambre, toutes ces braves bêtes qui vous tendaient la patte, qui rongeaient un os, c'était magnifique. Comme Jules, les chiens étaient toujours silencieux et se contentaient d'être vivants et de regarder les choses. Ils nous observaient aussi beaucoup, mais toujours vous aviez l'impression de ne pas faire partie de leur monde. Et pourtant, quand l'eau tombait sur nos joues parce que c'était affolant de penser que mon frère allait peut-être mourir, ils approchaient, et voilà qu'ils nous léchaient l'eau sur le visage avec leur langue humide et rose. Puis Charlotte commençait à murmurer des trucs minuscules à l'oreille du petit, et alors les chiens faisaient des pirouettes formidables ou se roulaient sur le dos.

Ensuite elle s'allongeait un moment à ses côtés et Joëlle et moi on sortait de la chambre.

Un soir, pendant qu'on était à la cuisine tous les deux, un chien est venu de la chambre et il s'est assis devant le frigo pour nous observer. C'était une bête à l'apparence rigolote, avec un pot de peinture noire qui lui était tombé sur la tête, aurait-on dit, et ça lui avait coulé jusque sur la truffe en passant par l'œil gauche, y compris l'oreille. En chemin, le tout avait dégouliné aussi sur le dos en direction des tibias du devant, et depuis ce temps la moitié des pattes ne reconnaissait plus l'autre. La tête était toujours penchée sur la gauche pour chercher à comprendre lorsque vous parliez, mais à tous les coups c'était la queue qui répondait de droite à gauche frénétiquement comme un balai. À l'arrière, l'une ou l'autre patte, ça dépendait, quittait le sol à l'occasion puis venait racler le pelage à toute allure, et alors là-dedans quel carnage chez les puces ! Sous le chien, faisant face au dos, reposait un ventre rose et rebondi, porté avec beaucoup d'insouciance et de désinvolture.

Il est resté longtemps à nous regarder pensivement, comme si sous son crâne quelque chose mijotait. Et tout à coup des mots sont sortis de lui, nous laissant, Joëlle et moi, boulonnés de stupeur sur nos chaises. *Pourquoi les gens vivent-ils ainsi ? Par quel prodige ne se révoltent-ils pas contre toute cette finance qui conduit le monde ? Comment peuvent-ils accepter que les choses se déroulent de la sorte ?* nous a-t-il dit devant le frigo.

Puis il est retourné au trot dans la chambre, car Charlotte se préparait à partir à présent. Plus tard, Joëlle et moi on est allés fermer le rideau dans la fenêtre du petit. Sur le lit, mon frère était allongé, vidé de son rêve depuis le départ de Charlotte. Qu'avait-il encore vu, ce soir-là, que nous ne pouvions voir ?

Un soir, après avoir vendu un ou deux pantalons, j'arrive à la porte du HLM vers les onze heures, lorsque soudain derrière moi quelqu'un fait *Psssit, monsieur Jérôme!* C'était Rosaire sous son chapeau bavarois. *Je passais par là, et ça alors, vous voilà!* dit-il avec un large sourire, mais on sentait que ça cachait quelque chose. Je réponds *Et alors, ça va, Rosaire?* puis il fait *Hmph*, il hausse les épaules. Alors j'ai dit *Allez, assoyons-nous un moment*, et nous voilà tous les deux sur le bord du trottoir au milieu du quartier endormi. C'était une nuit magnifique qui enveloppait le monde comme une encre quand elle coulait sur la Terre. Dans le ciel on aurait dit des millions de lampes minuscules suspendues dans le vide en attendant de s'éteindre en même temps que l'aube à venir avec son grand flambeau fulgurant. On est restés un moment à regarder tout ça, et ensuite, tapi dans la nuit, Rosaire a pris sa tête entre ses mains et il a dit *Monsieur Jérôme, je suis amoureux de votre femme. C'est horrible.* Là-haut, d'autres lampes sont venues s'ajouter, et ça faisait un grand boulevard lumineux par-dessus le quartier. Si vous baissiez les yeux vous aperceviez au loin la lumière des quartiers riches, mais en comparaison avec le ciel ça ne faisait pas le poids, les étoiles étaient toujours plus belles que les lampadaires. J'ai répondu *Je sais. Sur le palier, quand vous avez vu Joëlle la première fois, on a entendu* Passe-moi le sel, Poulette *qui vous sortait de l'intérieur tellement ça vous a pris aux tripes.* C'est normal. Ensuite il a demandé *Alors vous ne m'en voulez pas ?* et j'ai dit *Non. C'est normal d'aimer une fille comme Joëlle.*

Après, on n'a plus parlé durant deux ou trois minutes, pendant que des lampes s'allumaient puis s'éteignaient au-dessus de nos têtes. *Comme c'est étrange !* dit alors Rosaire. *Depuis ce jour où je suis devenu amoureux de votre femme, on dirait que même la musique que je joue avec l'ensemble est plus belle.* J'ai souri et j'ai dit *Alors il faut continuer à jouer de votre batterie bavaroise, Rosaire.* Puis on a encore passé un bout dans le silence des choses célestes au-dessus de nos têtes, et à la fin il s'est levé en disant *En tout cas, vous en avez de la chance, monsieur Jérôme. Avec une petite bonne femme comme mademoiselle Joëlle chez vous, ça ne doit pas manquer d'atmosphère.* Ensuite je me suis levé aussi et j'ai mis ma main sur son épaule, j'ai souri encore et j'ai dit *Bonsoir, Rosaire* et alors son manteau a été un peu taché à cause de l'encre que la nuit avait laissée sur mes doigts.

Avant d'entrer je me suis retourné et j'ai vu Rosaire qui s'éloignait lentement, les mains dans les poches de son manteau. Là-haut, très au-dessus de sa tête, on voyait des milliers de lampes qui dessinaient la silhouette lumineuse de Joëlle.

Quel jour était-ce, je ne sais plus, mais vers les trois heures quelqu'un frappe. C'est madame Bérimont avec un gâteau et une petite grimace, car son nerf sciatique continue à la tourmenter. *C'est pour vous trois et aussi pour mademoiselle Charlotte, allez, j'ai pensé que ça vous donnerait un peu de courage, tenez bon, tenez bon, il guérira, ce petit, avec le temps il finira bien par lui sortir du cœur, ce sacré volatile!* dit-elle sur le palier. Derrière moi, Joëlle arrive et s'exclame *Oh, comme c'est gentil!* Puis madame Bérimont s'en retourne, un peu pliée, elle se frotte la cuisse et la fesse. *Soyez heureux, soyez heureux, si ça se peut!* ajoute-t-elle en chemin vers sa porte.

Plus tard, Joëlle retourne à la machine pour ses travaux de pantalons. Une souris monte sur la table et se met à manger un morceau du gâteau. Puis elle vient se frotter contre Joëlle, et les miettes qui lui étaient restées dans les moustaches tombent sur le pantalon.

Joëlle sourit tristement et lui caresse la tête avec son index.

Ensuite d'autres souris arrivent et décident de chasser cette tristesse à l'intérieur de Joëlle. Avec leurs pattes minuscules elles rassemblent les miettes du gâteau, puis sur la table les miettes forment des mots, et les mots racontent une histoire d'oiseau qui commence ainsi :

Apercevant sur le sable
Les palmes d'un plongeur
Un canard
Prit ses jambes
À son cou...

Joëlle rit, puis au même moment le soleil entre, et alors on ne sait plus si c'est le soleil ou le rire qui éclaire la cuisine. Dans la chambre on entend mon frère ronfler dans le hamac de son corps.

Une heure après, monsieur Poussain et le caporal Breadbaker sont venus à leur tour visiter mon frère avec un truc dans les mains fabriqué à partir de quelques *articles*. C'était une horloge coucou qui servait à mesurer le temps avec les heures qui se calculaient au fur et à mesure que les aiguilles tournaient, doublée d'un appareil à faire jouer de la musique si vous tourniez la clé à l'arrière. À l'intérieur il y avait des cassettes de l'ensemble bavarois de Rosaire qui se mettaient à jouer quand vous tourniez cette clé justement, car un mécanisme formidablement compliqué réglait le tout sans que vous ayez le moindre geste à faire. De tous les côtés monsieur Poussain avait vissé des planchettes trouées ici et là pour laisser passer les chansons une fois le mécanisme remonté, et ça faisait un joli boîtier semblable à une maisonnette pour les hirondelles. D'ailleurs, en parlant d'oiseau, il y avait sous le cadran une sorte de corneille qui sortait du placard quand c'était l'heure, et qui croassait diablement pour vous dire que le temps passait et qu'il vous fallait penser à vieillir.

Cet appareil ça sera bon pour le petit, puisque, paraît-il, il y a quelqu'un à l'écoute à l'intérieur de lui ! a dit monsieur Poussain après avoir déposé l'horloge coucou sur la table et avoir replacé sa casquette. Car sans même que Joëlle et moi on en parle, tout le quartier savait déjà pour mon frère endormi. On aurait juré que tous ces gens avaient été abonnés à une sorte de téléphone psychologique et qu'une petite voix était venue dans leur tête raconter la terrible nouvelle. La vie est si inexplicable, parfois, avec ses standardistes invisibles qui vous appellent en dedans.

Ensuite le caporal Breadbaker s'est approché, puis de ses mains énormes il a donné plusieurs tours de clé, et oh ! comme c'était joli, toutes ces mélodies sortant des trous ! Alors il a été un peu secoué par l'émotion, mais à cause des chansons seulement, pour une fois le Viêt-nam n'avait rien à voir avec les larmes qui lui venaient. Sous sa carrure c'était vraiment un grand sensible, peut-être était-ce pour cette raison que presque tous les *articles* qui lui passaient entre les mains s'en trouvaient transformés, pour ainsi dire. C'était comme s'il leur transmettait une sorte de pouvoir, disons : un appétit. On aurait dit qu'à l'intérieur de ces *articles* de petites détonations de ferveur splendide avaient lieu sans arrêt après que les matériaux aient été manipulés par lui. Entre ses doigts, les guirlandes, les chaises roulantes, les coucous et tous ces trucs si ordinaires devenaient le plus souvent magnifiquement incompréhensibles. Quand, en plus, monsieur Poussain s'en emparait et y ajoutait son savoir-faire de bricoleur avec des planchettes autour ou des roues sous le siège, ça donnait les objets les plus merveilleux, et voilà sans doute pourquoi tous les deux étaient si bons camarades, ça oui.

Après, on est allés tous les quatre dans la chambre déposer le coucou musical près du lit de mon frère. Quand Joëlle a remonté le mécanisme, un sourire est venu sur le visage du petit, comme si Charlotte était là, et puis des tas de chiens gros comme des chaises sont encore arrivés, voguant au-dessus de nos têtes et regardant la météo un instant quand ils passaient devant la fenêtre.

Un autre jour c'est madame Lacuve qui nous invite à souper pour nous réconforter pendant que Jules dort, et nous voilà, Joëlle et moi, chez elle à l'autre bout du palier. Au téléphone, madame Lacuve avait dit *Mon mari insiste pour que ce soit lui qui cuisine le repas. Mardi soir, ça vous irait ?*

Le mardi on entre chez eux et c'est donc monsieur Lacuve qui est aux fourneaux avec son tablier autour des reins et le nez enfoui dans les pages de *La Cuisine facile*. Pendant une demi-heure Joëlle et moi on est restés au salon avec madame Lacuve pour bavarder, puis de la cuisine nous parvient ce cri *C'est prêt !*

On prend place, monsieur Lacuve retire le couvercle de la marmite trônant sur la table, et c'est alors qu'on voit. Ça ressemblait à un gigot de chien de prairie couché sur le dos au milieu de la marmite, puis ficelé pour qu'il ne s'enfuie pas, et ensuite excessivement rôti jusqu'au trognon. Pour commencer, monsieur Lacuve nous a servi à chacun une des quatre pattes raides et fumantes qui avaient dû beaucoup servir à déguerpir afin d'échapper au boucher mais sans succès. Puis vinrent s'ajouter autour des pilons quelques patates rappelant les oreilles de la famille M'Bélélé à cause de la couleur de la peau congolaise. C'était terrible de voir un repas aussi calciné atterrir dans nos assiettes avec l'obligation de tout avaler, car il fallait rester poli. Dans la marmite, il restait un peu du petit mammifère encore tout retourné par la cuisson excessive que lui avait fait subir monsieur Lacuve *parce que c'est meilleur tendre*, répétait-il sans cesse. Mais qui pourrait se vanter d'être encore tendre après huit heures dans le fourneau de ce brave homme à la mémoire si défaillante? En fait, un peu de fumée sortait encore du cadavre de l'animal bien après qu'on ait tout avalé de nos cuisses par pure politesse. Et quand monsieur Lacuve nous a offert de remplir à nouveau les assiettes, il a fallu beaucoup d'adresse pour lui dire *Non* sans lui faire voir que l'empoisonnement nous menaçait peu à peu, Joëlle et moi, à l'intérieur. Pendant ce temps, madame Lacuve mangeait tout sans se plaindre de maux d'estomac, et souriait même, ou faisait la conversation, et ne semblait pas du tout se formaliser du chien de prairie carbonisé dans son ventre, on n'avait jamais vu plus beau témoignage d'amour.

Puis ce fut le café, qui avait un goût d'eau savonneuse quand il passait dans le gosier, mais qu'on a bu quand même volontiers parce que ça rinçait.

Vers les dix heures on s'est levés, car il fallait retourner auprès du petit, et alors monsieur et madame Lacuve sont venus nous reconduire à la porte. Quand est venu le temps de se souhaiter bonne nuit, monsieur Lacuve a tendu son manteau à sa femme et il lui a dit *Au revoir, madame, ça m'a fait plaisir de vous rencontrer*, mais elle est restée tout aussi amoureuse que pendant le repas. Et quand on a été sur le palier, elle nous a dit tout bas avec beaucoup de douceur dans la voix *Courage, courage. Il guérira, ce petit, vous verrez.*

Et puis d'autres étoiles sont encore tombées sur les trottoirs dans un petit fracas de fenêtres qui éclatent.

C'était des jours difficiles, avec des nuits à chaque bout qui revenaient comme de petites saisons mélancoliques et inévitables. Le matin, Joëlle se levait tôt et, dans la lumière encore incertaine de l'aube, elle glissait son corps dans des vêtements aux couleurs joyeuses parce qu'elle n'acceptait pas que la tristesse ait le dernier mot. Puis elle demandait à ce corps de l'emmener jusqu'à la cuisine et le corps obéissait volontiers, pour lui ça ne semblait jamais une corvée que de la transporter dans l'espace limité de ce monde. Ensuite elle faisait du café pour le plaisir de sentir le Brésil se répandre dans l'air. Puis elle ouvrait la porte et ramassait le journal que madame Doubska avait fait porter gratuitement par Léon ou Jerzy sur le palier. Alors elle venait s'asseoir pendant que le quartier recommençait à vivre dans la fenêtre.

Sur les pages du journal on voyait le monde actuel photographié, avec sous les photos des mots pour décrire tout ça, et des titres comme des cris qui attiraient l'attention. Ainsi Joëlle prenait-elle des nouvelles de l'univers, et souvent je l'entendais qui murmurait pour elle-même *N'avons-nous donc rien de plus à dire ?*

Après, elle se levait et allait laver la vaisselle en laissant couler lentement l'eau du robinet sur ses mains parce que c'était si joli, cette musique aquatique qui sortait des tuyaux. Puis elle prenait le balai et passait dans tous les coins, et son corps continuait d'obéir docilement, oh! comme ce devait être doux de consentir à la bonne marche de ce corps si ingénieusement vivant, à son fonctionnement si gourmand de ferveur et d'humanité, comme on devait désirer se mesurer aux choses terrestres quand ses engrenages s'ébranlaient dans les membres et ailleurs de la tête aux pieds, que la pompe à courage était lancée, que les poulies à audace répondaient aux accumulateurs de gentillesse, que le broyeur de bêtise faisait son travail! Comme ce devait être rassurant de sentir le ronron d'une telle mécanique impeccable, tragique et belle comme un dernier soir sur la Terre!

Ensuite Joëlle s'assoyait à la machine et commençait un pantalon, ou reprisait une chemise, ou continuait de vieillir sans savoir comment, ou regardait par la fenêtre pendant que le quartier s'animait. Et tout en faisant ces choses, toujours elle songeait soucieusement à mon petit frère silencieux qui rêvait de gros chiens aussi muets que lui-même dans la chambre.

C ar toujours elle observait le monde, et toujours elle semblait comme en dehors de lui. On aurait dit que les choses passaient devant ses yeux mais qu'elle n'y était pas reliée. Et pourtant je ne connaissais personne davantage capable de changer la vie, parce que Joëlle avait en elle-même une pompe à oubli de soi-même dont la puissance et l'endurance ne ressemblaient en rien à celles des gens en général. Toujours elle allait vers les autres et leur offrait le meilleur d'elle-même, c'est-à-dire sa bienveillance. Et alors la vie changeait un petit peu, parce que pendant un moment les gens trouvaient l'existence plus belle que d'habitude. Mais sans cesse aussi elle regardait autour sans ressentir ce monde comme étant le sien. *Comment un univers capable de produire des soirs si gracieux, des ciels si frais, des couleurs aussi aimables, des lumières si vibrantes, peut-il en même temps être à ce point rempli de souffrances, si cruel pour ceux qui l'habitent ?* demandait-elle parfois. Et c'est pourquoi le soir, quand le vent apportait ses murmures, elle disait avec un mélange de douceur et de rébellion dans le regard *Nous ne faisons pas la vie que nous voulons. Les gens devraient se révolter, Jérôme, et changer les choses.*

Après, la nuit venait, et dans le lit je restais longtemps éveillé, parce que c'était toujours un peu inquiétant, cette bienveillance et cette colère cohabitant dans le même corps.

M ais pourquoi mon frère était-il malade ?

Souvent, à l'aube, quand maman rentrait du bordel avec au fond du visage ses yeux remplis de petits feux de fatigue et d'inquiétude maternelle, elle restait un moment à la fenêtre à regarder les ombres disparaître et la lumière s'allonger sur les choses. Puis mon frère et moi on sortait de nos lits et on arrivait dans la cuisine, ébouriffés, flânant dans nos pyjamas, et on venait se blottir contre elle. Après quelques minutes dans le bruissement du matin, elle disait doucement *Mes chéris, il faut aimer ce monde plus que tout. N'aimez pas Dieu. N'aimez pas le monde ou le ciel qu'il vous promet, ne croyez pas au salut qu'il vous fait miroiter. Jamais Dieu ne pourra répandre sur les choses du ciel une lumière aussi belle que celle-ci. Aimez ce monde, mes chéris. C'est le seul qui compte.* Ensuite mon frère et moi on restait à regarder.

Parfois aussi, quand elle travaillait durant le jour, on allait l'attendre au boulot rue de l'Étoile. À la réception du bordel, pendant ce temps, madame Mimine nous racontait combien maman était sa pute préférée, parce que lorsque ses clients repartaient, de petits objets célestes tourbillonnaient d'une joie étrange autour d'eux. Bien souvent, paraît-il, maman ne faisait pourtant que parler au client, et le client n'en demandait pas plus : c'était une pute avec un don pour les mots qui réparent les cassures du corps et de la fabrique à sentiments humains. Puis madame Mimine se taisait parce que maman avait fini son client, et voilà notre mère si jolie qui descendait de l'étage en souriant quand elle nous apercevait, car elle adorait lorsque Jules et moi on venait l'attendre pour rentrer à la maison. En chemin elle nous tenait blottis contre elle dans les rues du quartier, et comme toujours elle regardait la lumière allumer les toits des maisons, les balcons, les clôtures, les vitrines des magasins. Pendant qu'on marchait tous les trois, des gens nous croisaient et nous disaient *Bonjour* en souriant, et certains venaient ébouriffer les cheveux du petit. Alors mon frère riait, et lorsque le son du rire s'envolait, ça devenait des clochettes dans les oreilles.

Quand maman est morte, le monde n'a plus été pareil pour Jules. L'univers tout à coup n'était plus lumineux et musical, voici qu'il devenait aussi nébuleux et bruyant, et dans ce brouillard et ce bruit il y avait l'inégalité entre les hommes à cause de l'argent, le mutisme du ciel quand vous appeliez Dieu, il y avait aussi le rétrécissement de la beauté. Puis un jour mon frère a cessé de parler, peut-être au fond parce qu'il trouvait que le bruit du monde l'empêchait d'entendre la réponse de maman quand il lui parlait au cimetière, et alors pourquoi en rajouter avec ses propres paroles ? Et plus tard encore, une tourterelle triste lui est arrivée dans le ventre, puis dans la tête, puis dans le

Je parle de maman parce que justement, un jour, pendant que Jules dormait au fond de lui-même, madame Mimine est venue frapper à la porte. En la revoyant, tout de suite je me suis rappelé comme elle faisait soupirer tous les hommes, à l'époque, rue de l'Étoile. Même si ça faisait longtemps je l'ai tout de suite reconnue, car le temps n'avait rien changé à l'affaire, sauf de minuscules sentiers d'âge mûr ajoutés aux coins des yeux et qui partaient vers l'arrière en signe de vieillissement physique inévitable. Le reste aussi avait magistralement survécu, malgré soixante années passant et repassant sur madame Mimine pour tenter de la faire vieillir, mais bon sang comme elle avait tenu le coup! Bien sûr, la gravité terrestre avait fait son ouvrage et le corps était descendu légèrement vers le plancher au fil des ans, entraînant dans sa descente presque tout ce qui était suspendu depuis des décennies au squelette, ce cintre. Mais il restait chez madame Mimine une telle fierté de vivre que, sur les ossements, la chair abandonnait sans cesse toute idée de mortalité pour se concentrer sur la joie et le désir de continuer à rester verticalement vivante encore un sacré bout. Les épaules, par exemple, continuaient sans relâche leur travail de patère

cœur, car tout ce silence fabriqué par lui ça n
rien de bon, vivre c'est faire du boucan, seul
morts devraient être à ce point silencieux. Et
tement, à force d'être si peu bavard, mon fi
était devenu malade, c'est-à-dire peu à peu m
c'est-à-dire dépouillé de lui-même, d'où l'expr
sion connue *dépouille mortelle* pour désign
ceux qui ont tant cessé de vivre qu'ils en sor
devenus silencieux jusqu'au fond du squelette.

humaine et supportaient avec bonheur la tête de madame Mimine, si pleine de sex-appeal avec sa chevelure éblouissante au-dessus. Il y avait également beaucoup de sexe dans ces yeux qui vous regardaient avec une insistance extrême, et aussi sur la bouche d'où s'échappaient des paroles comme des peaux de bêtes sauvages où s'allonger. Et puis, ses vêtements, quoique recouvrant très correctement la suite de l'anatomie, n'arrivaient pourtant jamais à camoufler l'envie de son corps d'en sortir et d'aller nu, moins pour se montrer ou se coller contre un autre que pour sortir de sa prison. Même les jambes, qui n'en finissaient plus de descendre charnellement en direction de la terre ferme, ne cherchaient de toute évidence qu'un sol où poser madame Mimine et son goût de liberté immense.

Bonjour, Jérôme. Tu me reconnais? a-t-elle dit avec un sourire très érotiquement ravageur quand j'ai ouvert. *Si je vous reconnais?* ai-je répliqué rondement. *Mais madame Mimine, qui donc ne vous reconnaîtrait pas, avec tout ce sex-appeal portatif?*

Puis elle a demandé à voir le petit. Arrivée dans la chambre, elle s'est assise sur le bord du lit et elle lui a posé la main sur la joue. *Mon cher petit, comme tu ressembles à ta mère!* a-t-elle murmuré à mon frère endormi dans la pénombre. À partir de ce moment c'est comme si le corps si beau de madame Mimine s'était senti de trop, et en moins de deux il a quitté la chambre en douce pour aller faire un tour. Alors on comprenait que la beauté du corps n'est rien, que ce qui compte vraiment, c'est ce qu'il fabrique à l'intérieur avec sa grande mécanique émotive, aidée parfois du cerveau et de sa fournaise à intelligence.

Au bout de quelques minutes, Joëlle et moi on est sortis discrètement. Dans le corridor, le corps de madame Mimine flânait, occupait le temps en lançant des élastiques sur les murs, attendant que son maître lui revienne et ne sachant que faire de tout ce sexe inutilisé. On aurait dit une cage sans pinson à l'intérieur.

E t puis elle est repartie à bord de son corps, mais
longtemps après son départ de grands morceaux de sa jeunesse sont restés à errer dans la
maison. Qu'était-elle venue faire, je ne saurais le
dire. Mais cette nuit-là, dans la chambre de mon
frère, même si Charlotte n'y était pas, Joëlle et
moi on a encore vu des dizaines de chiens sortir
du projecteur intérieur de Jules et flotter dans l'air.
Sauf que cette fois il n'y avait que des chiots avec
des pattes toutes petites, sans parler de la queue
on ne peut plus juvénile à force de n'avoir pas fini
d'allonger. Partout ce n'était que ces braves petites
bêtes remplies de commencements, oh ! comme
c'était beau, toute cette jeunesse canine et volti-
geante s'évadant de mon frère !

En peu de temps monsieur Molinari était devenu un vieil homme. Les genoux avaient abandonné leur boulot de charnière, et c'est pourquoi les pieds traînaient sans cesse sur le sol quand il s'agissait de se rendre d'un endroit à un autre. Au bout des bras, les mains se balançaient sans but. Sur la tête, les cheveux avaient blanchi rapidement, ainsi que les sourcils broussailleux, et en tout ça faisait un petit buisson de neige au-dessus des yeux. Et puis, sur le visage, ce n'était pas comme les sentiers légers de madame Mimine, de véritables sillons s'étaient creusés, comme lorsque le temps vous passe sur le corps avec sa machine à enlever la jeunesse. Même son appétit incessant avait diminué à vue d'œil, et voilà pourquoi on ne voyait plus monsieur Molinari manger avec tout son engouement coutumier. Et surtout, quelque chose s'était éteint au milieu de lui, et à présent quand vous cherchiez son regard vous ne trouviez jamais que des yeux.

Souvent vous l'aperceviez qui marchait, tard le soir, dans les rues du quartier, sans direction précise à cause de sa boussole métaphysique qui ne répondait plus à l'intérieur. Une fois je l'ai suivi discrètement. Ça vous prenait un peu aux tripes de le voir déambuler l'air hagard, comme s'il n'y avait plus d'abonné sous son manteau. Où allait-il, égaré de la sorte dans la nuit froide ? Pendant une heure je l'ai observé en prenant garde qu'il ne me voie pas, puis on est arrivés rue de l'Étang. Au 72, monsieur Molinari a monté l'escalier, puis il a frappé. Un type au visage louche est venu ouvrir. Caché sous le balcon je l'ai entendu qui a dit *Vous avez le fric ?* Puis monsieur Molinari a répondu quelque chose, et tous les deux sont entrés. Ça n'a pas duré deux minutes, et alors monsieur Molinari est ressorti avec un paquet sous le bras puis il a repris le trottoir.

Je l'ai encore suivi un moment, et ensuite on est arrivés devant l'église du curé Verbois. Alors il est resté à regarder la croix au sommet du clocher, puis il a commencé à sangloter discrètement. Ensuite le voilà sur les rotules dans les marches du parvis. Ainsi plié, il a levé les bras au ciel, puis il s'est mis à questionner son dieu qui pourtant n'y était plus, désormais. *Comment fait-on pour ne croire qu'en ce monde-ci ?* sanglotait-il, enveloppé dans la nuit. *Comment fait-on ? Comment fait-on ?* répétait-il en fixant la croix silencieuse et tout environnée de ténèbres là-haut.

Et comme ça pendant un quart d'heure. Puis il s'est relevé et il est reparti lentement, surmonté de ses cheveux blanchis. Moi je suis resté derrière mon lampadaire, songeur de la tête aux pieds. Puis, tout au bout de la rue de l'Étang, la nuit a avalé monsieur Molinari.

C' était vers les minuit quand on a entendu de petits cailloux lancés contre les carreaux de la cuisine. Joëlle et moi on s'est levés, et en bas on a vu le clochard à qui j'avais donné tout mon sac de pantalons, un soir, qui nous faisait de grands gestes. Alors Joëlle a entrouvert la fenêtre pour savoir, et voici ce qu'il crie : *Je suis venu visiter le petit parce que les gens par ici disent que ça ne va pas trop bien pour lui.* Et nous voilà lui ouvrant la porte pendant qu'il secoue la neige accumulée sur ses épaules. Comment il avait trouvé notre adresse, je ne saurais le dire, c'était un homme avec beaucoup de mystères, ça oui.

On l'a emmené dans la chambre pour voir Jules endormi, et le voilà qui reste à ses côtés, debout et silencieux telle une huître pendant dix minutes. Après, il ouvre la bouche, et voici les paroles qui sortent : *Un jour, vous m'avez donné ceci.* Et il nous montre le pantalon qu'il porte, c'était un des vêtements cousus par Joëlle et que je lui avais offert le soir de notre première rencontre. Ça lui tenait à peine sur le corps, mais une ficelle venait arranger le tout grâce à un nœud sur le devant qui empêchait la fuite du pantalon en direction des chevilles. *Vous avez été bons pour moi, alors j'ai voulu vous rendre un peu de cette bonté,* ajoute-t-il encore. Et il s'assied sur le bord du lit de mon frère, il lui met la main sur la poitrine à l'endroit où le cœur martèle à l'intérieur ainsi que les cloches dans le crâne des églises.

Puis il repart comme il est venu. Une heure ou deux passent, Joëlle et moi on reste à la fenêtre à regarder la nuit complètement bourrée d'étoiles. Puis le sommeil commence à entrer dans nos corps et on décide d'aller se recoucher. Plus tard, pendant que je dors, quelqu'un tourne une manivelle en moi et la grande machinerie des songes s'ébranle un peu. Est-ce à force tout à l'heure d'avoir tant et tant vu toutes ces étoiles suspendues sur le quartier, je l'ignore, mais je fais ce rêve. Je suis un cosmonaute, et là-haut en orbite tandis que la Terre tourne sous la capsule, j'écris quelques mots sur un papier, que j'emprisonne dans une bouteille. Puis j'expulse le tout dans l'espace. Par le hublot je vois ma bouteille s'éloigner tranquillement, s'en aller bien plus loin que j'irai jamais. Mais déjà Houston m'appelle à la radio.

Vers les quatre heures je m'éveille et n'arrive plus à me rendormir. Je décide d'aller jeter un coup d'œil à mon frère à côté. Aussitôt dans sa chambre la stupéfaction me cloue : au-dessus du lit de Jules flottent tout plein de petits astres, des étoiles, des planètes et des soleils tourbillonnants telle une moulinette céleste.

Au milieu de toute l'affaire j'aperçois ma bouteille sans son message dedans, car à présent, Jules, quoique encore radicalement endormi, tient au creux de sa main le papier. Dans un rayon de lune on voit mes paroles écrites dessus : *Bon sang, Jules, réveille-toi !*

C'était un jeudi pendant la soirée, depuis le matin les horloges avaient marqué les heures, bien sûr, mais comme toujours c'était surtout dans nos corps qu'on sentait que les choses avaient avancé. Dans la cuisine toute la journée on avait entendu la petite musique opiniâtre du temps qui tournait autour de nous en usant les choses, puis ça s'était arrêté un moment aussi sur nos corps, et ensuite c'était entré dedans. Quand c'est arrivé dans la poitrine on a senti une petite bagarre à l'intérieur parce que le temps a voulu s'en prendre à la caisse à sentiments. Et puis ça s'était calmé, mais qui avait gagné ? C'était toujours difficile à dire.

En bas, Léon était assis depuis un moment sur le trottoir, et une petite pyramide de flocons commençait à se former sur son crâne. *À quoi pense-t-il ?* me disais-je en l'observant rêveusement par la fenêtre. *Est-il lui aussi en train de lutter contre le temps qui passe ?* songeais-je, ma main sur l'épaule de Joëlle, penchée sur sa machine à coudre.

Et soudain qui voit-on arriver, faible mais debout dans la cuisine : mon frère enfin réveillé, déplié et sur ses deux jambes le supportant verticalement depuis les pieds jusqu'aux cheveux ébouriffés, sa main refermée sur son cœur, comme s'il tenait prisonnier un petit bout du temps qui passait par là.

À l'aube un nuage d'oiseaux est passé lentement dans le ciel du quartier avec une tourterelle triste juste devant pour ouvrir la voie. Ça faisait une ombre à n'en plus finir sur les choses, et alors dans les rues les gens déjà en route pour le travail levaient la tête pour voir avancer toutes ces bêtes si légères, et dans les fenêtres aussi on voyait des visages tournés vers là-haut, et des mains qui tenaient des tasses de café en train de refroidir. Puis les oiseaux ont disparu à l'horizon et le soleil est arrivé enfin, et sur les trottoirs, quand la lumière est venue toucher leurs pupilles, les chiens ont plissé les yeux.

Il fallait fêter ça, c'est pourquoi pendant l'après-midi Rosaire est venu avec Napoléon, Eugène et Gaston pour donner un concert dans la ruelle. Le matin, Joëlle et moi on a poussé la neige, puis le caporal Breadbaker et monsieur Poussain sont venus avec des planches et des clous, et ensuite on s'est mis à construire la scène. Vers les deux heures, tous sont arrivés entassés dans l'auto du docteur M'Bélélé. Ça débordait de tous les côtés, y compris la grosse caisse de Rosaire dans le coffre et la trompette qui avait voyagé dehors au bout du bras de Gaston pendant tout le trajet, pour cause de surpopulation sur les banquettes. Quand Joëlle a ouvert la portière pour les accueillir, Napoléon a roulé sur le sol, suivi de sa guitare et de l'accordéon accroché sur le devant d'Eugène déboulant aussi. Ensuite Léon est sorti, puis Charlotte, si souriante à l'idée de retrouver mon frère, vertical à présent. Et alors le docteur M'Bélélé est descendu à son tour, puis il a pris sa femme très doucement par le bras et Joëlle l'a conduite devant la télévision. Après, Rosaire a assemblé les morceaux de sa batterie et l'ensemble a commencé à s'accorder sur la scène pendant qu'une bonne partie du quartier arrivait dans la ruelle. Avec les enfants qui couraient et se roulaient dans la neige, les chiens qui aboyaient sans savoir pourquoi et madame Doubska qui faisait griller des hot dogs, ça ressemblait de plus en plus à une fête. Au bout d'un quart d'heure les premières notes sont sorties des instruments, puis Napoléon a entamé *Et les sardines*, et aussitôt, devant la scène, les gens se sont mis à danser furieusement, car c'était un rock and roll, ça disait :

Et les sardines
Se plaignirent en ces termes
Au Créateur :
Les humains il faut toujours
Qu'ils nous mettent
En boîte

Au refrain, la plupart avaient déjà enlevé leur manteau et se laissaient entraîner par leurs pieds qui ne répondaient plus de rien, surtout quand Gaston soufflait un solo. Partout dans la ruelle les corps perdaient l'esprit et les coudes laissés à eux-mêmes venaient s'enfoncer dans les côtes des danseurs les plus proches tellement ils suivaient le rythme sans réfléchir. Sur les planches, Napoléon enchaînait les morceaux à si vive allure que les mots parfois précédaient les notes, mais alors Gaston ou Eugène compensaient par un solo plus long que prévu, c'était terrible de beauté. Et puis c'était si beau aussi de voir Rosaire surmonté de sa tuque bavaroise taper sur ses tambours comme un cinglé à l'arrière de l'ensemble. Alors j'ai jeté un coup d'œil sur Jules et Charlotte qui dansaient doucement parmi les gens, et ensuite j'ai été plus heureux que d'habitude.

P endant une heure la fête a continué ainsi, puis ça s'est calmé, et alors Napoléon a dit *Et maintenant, messieurs-dames, voici une chanson un peu triste, mais quoi, la tristesse c'est si beau parfois, allez, Eugène!* Puis Eugène s'est mis à déplier et replier doucement son accordéon pour laisser passer la musique entre les touches. Ensuite les mots sont sortis de Napoléon et ont commencé à flotter tranquillement dans la ruelle, ça vous entrait dans les oreilles en même temps qu'une petite mélancolie, ça commençait ainsi :

> *Heureux qui sait*
> *Qu'il ne fait que passer ici-bas*
> *Qui tout au bout de sa vie*
> *Puise en son sac*
> *Gobelets et cognac*
> *Qui trinque aux copains*
> *Au soleil*
> *Aux amours*
> *Puis s'en va*
> *Sans se retourner*
> *Pendant que tout s'éteint*
> *Scène, coulisses et gradins*

Et c'est alors qu'un miracle s'est produit, comme il en arrive parfois pendant que vous pensez à autre chose. Dans la cuisine, quand elle a entendu la chanson, madame M'Bélélé a détourné les yeux de la télé. Ensuite elle s'est levée, elle est sortie sur le balcon, puis elle est venue, vêtue de sa seule petite robe congolaise, rejoindre son mari qui était assis dans la neige à présent et qui rêvait peut-être au fleuve Congo, à ses poissons et à ses bateaux glissant lentement dessous et dessus. Arrivée devant lui, elle dit doucement *Comme c'est beau, cette musique!* Alors, se relevant subitement et très émotivement sur ses jambes, le docteur M'Bélélé murmure *Retournons dans la maison. Tu vas prendre froid, vraiment.* Mais elle, elle se colle contre lui, et elle ajoute tout bas : *Non, restons ici. Rien n'est plus beau que cette musique.*

Et c'est pourquoi à ce moment on a vu le sourire rutilant du docteur M'Bélélé s'élargir énormément, telle une ampoule allumée tout d'un coup dans la nuit du visage, parce qu'il savait qu'aux détraquements sa boîte congolaise ne servirait plus désormais.

Avec le soir revenant, des étoiles pourpres, rouges, vertes et jaunes sont apparues peu à peu au-dessus des toits. Autour de chacune vous aperceviez ces vaguelettes de lumière vibrante. Puis la nuit a commencé à s'avancer, et d'autres objets célestes sont apparus aussi, calmes et tourbillonnants.

Lentement les gens sont rentrés chez eux, et Rosaire et son ensemble aussi. À la fin il n'est plus resté que Joëlle, Charlotte, mon frère et moi, et puis le docteur M'Bélélé et sa femme, encore tout émus, le regard tourné vers le ciel. À ce moment, Jules est monté au HLM, et une minute plus tard il est revenu avec l'horloge coucou à cassettes dans les mains. Puis il l'a offerte à Marie M'Bélélé. Et alors on est tous restés vissés de stupéfaction, parce que pour la première fois depuis l'orage au cimetière, des années auparavant, Jules a fabriqué des paroles qui lui sont sorties de la bouche comme le vent quand il entre dans les branches pour agiter les feuilles en été. S'échappant de mon frère, ça disait à madame M'Bélélé : *C'est pour que vous puissiez écouter les chansons de l'orchestre bavarois de Rosaire à volonté, et ainsi vous rappeler comme c'est formidable quand la santé revient à l'intérieur du corps après toutes ces souffrances.*

Ensuite, à part Jules qui souriait d'un bout à l'autre de son visage, on a tous sorti nos mouchoirs à cause du grand saisissement émotif qui s'est emparé de nous, pendant que là-haut les étoiles commençaient un cake-walk.

L e lendemain, quand monsieur Molinari est mort, le ciel était comme d'habitude. Du début à la fin ça avait été une journée complètement comme les autres, avec un matin qui commençait en même temps que la lumière et des heures qui s'écoulaient dans les horloges pendant que les gens vieillissaient petit à petit, que tout s'usait lentement. À l'aube, le soleil était apparu debout sur ses rayons, et alors une à une les étoiles s'étaient éteintes par-dessus les choses. À l'horizon le monde s'était enflammé, mais ça n'avait été qu'un feu de paille. Comme chaque jour le matin avait apporté avec lui sa petite portion de joie subite, et ensuite dans les maisons les gens s'étaient préparés pour le travail. Des flocons étaient tombés, des chiens avaient pissé sur la neige. Des gens avaient marché sur les trottoirs et mangé de la soupe au potiron. Puis monsieur Molinari était mort, couché au milieu de sa tristesse et de quelques souvenirs de Dieu. Chez lui on l'avait retrouvé avec un gros trou dans la mémoire et un fusil dans la main, acheté rue de l'Étang.

Deux jours plus tard on est allés à l'église avec tous les amis, écouter le curé Verbois dire la messe pour monsieur Molinari mort au milieu de l'allée dans le cercueil. Pour l'atmosphère on avait engagé l'ensemble bavarois de Rosaire afin de jouer des trucs funèbres dans le jubé. C'est Gaston, armé de sa trompette, qui a commencé le concert en soufflant un air de circonstance, car les notes étaient remplies de spleen gigantesque. Plus loin dans la mélodie, Eugène et son accordéon se sont joints à Gaston pour ajouter au chagrin, et derrière la musique, Rosaire, au lieu de taper sur sa grosse caisse bavaroise, a secoué une tambourine discrètement pour faire plus mortel. Pendant ce temps Napoléon ne faisait rien, à part flatter pensivement la tête de ce bon Léon et attendre le deuxième morceau sur le programme du concert. Le moment venu il a empoigné sa guitare avec une petite émotion dans les mains et il a chanté *Nous reverrons-nous sous la Redingote ?* en confondant parfois avec les mots de *Bonne semaine, Germaine !* Mais ça vous allait droit aux tripes tout de même, pendant la chanson de l'eau tombait sur nos joues.

Ensuite le curé Verbois a voulu commencer la messe, mais rien à faire, les sanglots lui arrivaient sans cesse dans la gorge pour cause de vieux camarade perdu tellement monsieur Molinari était mort. Alors Joëlle s'est levée et a remplacé la messe par quelques mots gentils à propos de notre ami disparu. Pendant qu'elle parlait de sa voix douce, la main sur le cercueil, les mots nous entraient dans les oreilles et nous fabriquaient un vaste chagrin à l'intérieur. Puis elle est revenue à mes côtés sur le banc, et quand elle s'est assise, le soleil a traversé un vitrail, puis une mèche de ses cheveux rouges.

Dans le cercueil ouvert, monsieur Molinari était allongé de tout son long au sein de sa dépouille qui croisait les mains calmement. Au milieu des doigts quelqu'un avait planté un crucifix pour rappeler les cinquante-six ans qu'il avait passés sur la Terre à prier son dieu plus que de raison. À un moment, sur le banc, j'ai murmuré à Joëlle *C'est trop injuste*. Puis je me suis levé et j'ai commencé à marcher dans l'allée. Arrivé près du mort j'ai dit au curé Verbois *Permettez, mais puisque c'est Dieu qui a transformé monsieur Molinari en dépouille si horizontale, je ne vois pas ce que cet objet fait entre ses doigts.* J'ai donc enlevé le crucifix et j'ai glissé entre les pouces du cadavre, à la place, la clé à molette qu'il a traînée dans les poches de sa salopette à portière pendant toutes ces années. Quand il a vu ça, le curé Verbois a froncé les sourcils puis il a dit *Je ne suis pas certain que le Seigneur serait d'accord avec ça.* Et alors j'ai répondu *Votre seigneur et mon cul, c'est pareil.* Puis on a fermé le couvercle du cercueil. Ensuite monsieur Lopez, le caporal Breadbaker,

monsieur Poussain et moi-même on s'est approchés pour saisir le tout, et là-haut l'ensemble de
Rosaire s'est mis à jouer un autre morceau très
mortel pour accompagner le défilé jusqu'à la
sortie.

Dans les yeux de Jules il n'y avait rien, car
rien n'est beau dans la mort.

Et alors on a marché dans les rues du quartier derrière l'auto du docteur M'Bélélé qui remplaçait le corbillard, car même pour mourir monsieur Molinari n'avait pas les moyens. Mais juste avant, à la sortie de l'église, on a perdu un peu de temps parce que le caporal Breadbaker et monsieur Poussain n'arrivaient pas à coincer le cercueil dans le coffre du docteur M'Bélélé. À la fin, après avoir retiré le pneu de secours, qu'on a laissé sur le parvis, on a pu faire entrer monsieur Molinari de justesse, non sans le loger légèrement à l'oblique, car notre vieil ami dépassait les bornes sur le plan de la dimension du corps et par le fait même son cercueil aussi. En outre, après le soulèvement du mort, monsieur Poussain a eu une autre crise d'arthrite au genou, et c'est pourquoi on a dû retarder encore un peu le départ vers le cimetière pendant que madame Bérimont lui frottait la rotule avec sa pommade pour sciatique.

En chemin, de la neige est encore tombée, et autour de nous quand les flocons touchaient le sol, de petits buissons à mouchoirs surgissaient de la terre. Alors, en marchant derrière monsieur Molinari, tous on cueillait des mouchoirs au passage et on s'essuyait les joues, parce que ça vous remuait vraiment la pompe à tristesse de le voir aussi trépassé à l'oblique en direction de son trou mortel. À mes côtés, madame Doubska avançait au bras de son fils Jerzy en braillant doucement. Quand les gouttes tombaient de sa joue, l'eau gelait en chemin, puis ça faisait de petites pierres précieuses qui fondaient en touchant le sol, et alors une rose yougoslave poussait sur la neige. Devant nous, monsieur Lopez était triste aussi, et à tout moment il se retournait et hurlait *Ce Molinari, on le regrettera!* en croyant murmurer parce que le volume de son appareil était encore détraqué. Dans les fenêtres des maisons les gens nous regardaient passer, souvent à leurs côtés un chien ou un chat regardait aussi.

Au cimetière, Rosaire et son ensemble ont encore joué quelque chose, puis monsieur Molinari est descendu dans le trou creusé sur mesure pour son abondante dimension. Ensuite madame Lacuve a dit une dernière prière avec son mari qui chuchotait à tout venant *Mais qui est donc cette dame ?* en parlant de son épouse. Quand tout a été terminé, le curé Verbois a récité une petite messe portative en latin, et après on s'est tous dirigés lentement vers la grille pendant que l'ensemble de Rosaire commençait *Hélas ! nous étions périssables*. Derrière nous Napoléon chantait :

Hélas ! nous étions périssables
Et pas du tout recyclables
Pas même semblables
Au serpent qui mue
Laissant derrière lui
Son vieux costume

Longtemps après notre départ, Léon est resté couché sur la terre par-dessus le trou, levant à tout moment la truffe vers le ciel comme pour vérifier quelque chose. Mais, bon sang, que voyait-il que nous ne pouvions voir ?

Un matin, le soleil s'est levé et l'hiver était fini. Dans le ciel, les oiseaux qui revenaient du sud étaient si contents de retrouver le quartier là-dessous qu'ils en oubliaient d'agiter les ailes, alors ils tombaient par distraction comme des poires bien mûres sur les trottoirs. Mais à part quelques éraflures, tous s'en tiraient sans dommage, puis ils repartaient aussitôt à la recherche d'un arbre. Et alors ils se faisaient la cour à cause des beaux jours qui revenaient aussi, et c'est pourquoi on sentait qu'une petite révolution sexuelle se déroulait partout dans les branches, d'ailleurs souvent on en entendait qui sifflotaient des chansons de hippies au fond des nids.

Au HLM, pour la première fois depuis des mois, on a pu ouvrir, et alors c'était comme un bateau qui venait accoster dans la cuisine avec à ses trousses l'air du large. Quand le vent est entré, Joëlle a fermé les yeux un moment et je l'ai encore trouvée magnifique avec ses narines qui ramassaient l'air au passage et ses cheveux en vaguelettes qui faisaient une petite danse autour du visage. Ensuite, pour le plaisir, Joëlle, mon frère et moi on a sorti nos têtes par la fenêtre et on a respiré comme des goinfres, en bas dans son pantalon désopilant Jerzy sortait la marchandise sur le trottoir pour attirer la clientèle qui passait, et Léon restait debout à côté.

L'après-midi on est allés payer sa tranche à monsieur Poussain. Et alors, en arrivant au coin du boulevard, on a eu toute une surprise en apercevant l'ancien Garage Molinari rénové jusqu'au trognon. À présent il n'y avait plus d'ouvriers, et sur l'enseigne c'était écrit avec des ampoules qui s'allumaient puis s'éteignaient sans répit :

CINÉMA DU QUARTIER

À L'AFFICHE AUJOURD'HUI :
LES CHOSES TERRESTRES

Tout de suite on s'est mis à fouiller frénétiquement dans nos poches, et en additionnant la tranche de monsieur Poussain avec le reste, on a trouvé assez pour entrer tous les trois. C'était une salle comme dans les maisons des riches de l'autre côté des usines, avec des tas de rideaux très beaux qui pendaient avec beaucoup d'inutilité devant les murs, puisqu'il n'y avait pas de fenêtres derrière. Chaque rangée ressemblait à un autobus, car c'était garni de bancs d'un bout à l'autre pour asseoir les gens quand ils avaient payé leur billet.

Là-dedans, si vous ne saviez où donner de la tête, un type vous attendait avec une lampe de poche, et après avoir examiné votre billet il vous accompagnait jusqu'au banc libre le plus près. Pendant que vous vous remettiez de vos émotions d'avoir été ainsi conduit à bon port, quelqu'un passait dans les allées avec un panier accroché sur le devant, comme Eugène et son accordéon, en criant le nom des choses qu'il désirait vous vendre : crème glacée au potiron, bonbons à la moutarde, sandwiches au rutabaga, boissons au gaz, réglisse et plein d'autres choses, car les émotions ça creuse. Puis, enfermé dans le mur derrière vous, le projectionniste appuyait sur un bouton. Ensuite le film partait en direction de l'écran et c'était formidable.

C'était un film un peu triste, qui racontait l'histoire de gens qui ne savaient pas vieillir pendant que le temps passait et qui restaient avec toute cette jeunesse entreposée à l'intérieur. Parfois certains mouraient, et alors leurs amis étaient remplis de chagrin, parce que c'était si injuste de crever en pleine jeunesse au milieu d'un corps qui ne tenait plus la route à cause des années. Mais presque toujours la musique venait les secouer, et ensuite ils faisaient la fête et dansaient avec leurs jambes mouvementées et reprenaient courage, car c'était de leur âge. De toutes leurs inventions, Dieu ne semblait pas la plus importante, et c'est pourquoi la plupart du temps la vie était paisible. Ce n'était pas des gens sans torts ni défauts, et quand ils faisaient des erreurs ils se repentaient et tentaient de faire mieux à l'avenir, et la plupart y parvenaient. Et puis très jeunes ils comprenaient déjà que leur existence allait être si courte, alors ils commençaient à chercher d'autres façons de vivre que celles que le monde moderne leur proposait et qui leur faisaient perdre du temps. Ils détestaient la guerre, le travail qui dure du matin jusqu'au soir et cette course étrange que leur imposait la vie en société, et ils souhaitaient que l'argent cesse de compter pour tout. Quand le jour finissait, ils aimaient regarder la lumière s'évanouir sur les choses parce que c'était si beau, même si ça ressemblait à un morceau de leur propre mort à venir. Et justement parce qu'ils soupçonnaient sans en être tout à fait sûrs que la vie finissait avec la mort, ils mettaient presque tous leurs efforts dans l'amélioration de la réalité, ce petit univers tangible et inextensible. Ils le faisaient aussi parce qu'ils savaient bien que leurs enfants vivraient encore lorsqu'eux-mêmes n'y seraient plus. Ils rêvassaient également beaucoup.

E t puis le film a fini et j'ai eu encore une petite pensée pour monsieur Molinari, enfoui là-bas dans son trou. Ensuite comme je restais sur le banc, songeant à ces choses mélancoliques, Joëlle a glissé son bras autour de mon cou puis elle a murmuré *Allez, viens, laisse les morts avec les morts*. C'était toujours si extraordinaire qu'elle me connaisse à ce point et qu'elle continue de m'aimer quand même.

À la sortie, un type avec des vêtements chics nous a salués, puis il a dit *Mon nom est Tristan Lanterne. Je suis le propriétaire de ce cinéma. Ça vous a plu?* Puis il nous a offert à chacun un cigare, et alors je suis resté tout inerte de surprise, et voilà pourquoi j'ai dit avec la voix encore estomaquée *Comme c'est beau, cette bonté sous vos vêtements!*

À présent, quand on passait devant le Cinéma du Quartier, tard le soir, on entendait à nouveau les notes d'une clarinette qui sortaient des murs. Mais c'était toujours une musique un peu triste, ça vous rappelait un vieux chagrin. Une fois, en revenant de vendre mes pantalons, je me suis approché, j'ai frappé avec ma paume, puis j'ai posé ma bouche sur les briques et j'ai dit *Allons, Édouard. Laisse les morts avec les morts.*

Au début de mai, Jules et Charlotte ont décidé de faire une grande fête parce qu'ils étaient si amoureux l'un de l'autre à présent. Charlotte, qui était née jadis parmi les champs, les animaux campagnards et ses parents fermiers, avait organisé une sorte de banquet naturel.

Le jour venu, mon frère, Charlotte, Joëlle et moi on a pris l'autobus pour aller chez ses parents qui nous recevaient sur leur ferme remplie de sons et de senteurs sortis tout droit des bêtes environnantes. C'était un endroit rêvé, avec une maison en plein centre sans un voisin à la ronde quand vous regardiez par les fenêtres et même au-delà des vaches. Sur les collines tout autour, ces bêtes pétrifiées d'oisiveté mâchouillaient du gazon qui, une fois à l'intérieur, commençait à se transformer en crème fraîche ou en beurre, et ça serait prêt vers les quatre heures, si j'ai bien compris. Sur le balcon et les pelouses, les poules déguerpissaient librement à votre approche en attendant de perdre la tête en prévision de rôtir, ça rappelait un peu Conrad, le faisan du docteur M'Bélélé, mais en plus menacé de périr sous peu. Dans la cour, une truie gigantesque était occupée à grossir encore un peu. Plus loin, au milieu des enclos, des chevaux se murmuraient mutuellement des trucs érotiques dans les oreilles. Puis certains passaient à l'action, et c'était quelque chose de voir toute cette sexualité agricole à l'œuvre entre les pattes. Partout le printemps explosait au-dessus de l'herbe. Dans l'air, des oiseaux brisaient le mur du son quand ils passaient avec leur turbines mélodieuses.

Quant aux parents de Charlotte, c'était de braves gens, très gros dans leurs vêtements, et qui faisaient beaucoup penser à leur fille à cause de la ressemblance familiale qu'ils lui avaient léguée quand elle remplissait son uniforme d'infirmière. Cependant, si vous dépassiez la surface, vous aperceviez facilement la bonté incluse à l'intérieur, qu'ils exprimaient par de petites attentions campagnardes, comme vous proposer un jambon pour la route, ou alors un kilo de beurre fraîchement mâchouillé. Ils habitaient cette maison *depuis bientôt cinquante ans, c'est-à-dire dix-huit mille deux cent cinquante jours,* aimait à dire le père de Charlotte, car *Vous savez, si je n'avais pas passé ma vie dans les vaches, j'aurais fait un sacré bon comptable,* ajoutait-il. Au rez-de-chaussée il y avait la cuisine et ses fenêtres avec vue sur les bestiaux dans les collines, puis le salon, comprenant les fauteuils et un petit passage direct pour entrer dans la grange si vous aviez besoin de foin soudainement. Venaient ensuite les chambres à l'étage, qui comptaient aussi des fenêtres dans les murs pour apercevoir l'horizon par-dessus le bétail s'il était couché. *D'ici, on peut facilement voir nos soixante-dix-sept génisses, et même leurs trois cent huit pattes,* avait déclaré fièrement le père de Charlotte pendant la visite. De là-haut,

on voyait aussi sur la droite un champ tout recouvert de fleurettes jaunes avec les petits bocaux de
moutarde qui pendouillaient sous les branches
délicates. De l'autre côté, vers l'ouest, un tracteur
attendait d'être utile sous le soleil, et alors une
corneille en profitait pour rêver qu'elle était un
corbeau sur le capot.

Ensuite le docteur M'Bélélé est arrivé avec les
amis entassés dans son auto, y compris Léon dans
le coffre qui mordait dans des *Milk Bones*, et
alors la fête a pu commencer vraiment.

Tout d'abord, Rosaire et son ensemble se sont installés sous un arbre pour s'accorder, et voilà pourquoi pendant un moment on n'a plus entendu que le bruit des instruments qui se mêlait à celui des bêtes environnantes quand elles poussaient leur cri naturel par la bouche ou le trou du cul parfois aussi. Tout près, le docteur M'Bélélé a commencé à peindre le paysage sur une toile, en ajoutant sa femme dans le tableau pour faire plus joli. Madame Doubska, de son côté, aidait les parents de Charlotte pour le repas et découpait un jambon en tranches pendant que son fils Jerzy était resté en ville pour tenir l'épicerie. Madame Bérimont aussi était de la fête, mais à cause de son nerf sciatique qui ne la lâchait plus il a fallu l'installer sur la banquette du docteur M'Bélélé et lui laisser la portière ouverte pour qu'elle puisse entendre Napoléon chanter.

À un moment, le père de Charlotte a crié *Je lève mon verre aux amoureux et à leur jeunesse qui totalise trente-sept ans si on additionne les deux!* Et alors mon frère et Charlotte se sont embrassés pendant qu'on buvait le vin de pissenlit. À ce même instant, on a entendu le petit gargouillis d'un moteur venu d'en haut, car dans les pommiers tout autour les fleurs ont commencé à actionner leur mécanisme à parfum printanier.

Puis l'ensemble de Rosaire s'est mis à jouer des trucs endiablés et on s'est tous mis à danser sur l'herbe, à part madame Bérimont qui tapait des mains, allongée dans l'auto. À un moment, debout près de la grosse caisse bavaroise de Rosaire, monsieur Lopez a tendu l'oreille puis il a hurlé *Et alors, elle commence, cette musique?* même si on en était déjà au troisième morceau. Au pied de l'arbre, monsieur Poussain ne faisait que bouger les bras à cause de son arthrite au genou, mais ça ressemblait à une rumba quand même si on imaginait des jambes à la place. Plus loin, le caporal Breadbaker se trémoussait autour de Léon qui jappait, et à bien y penser ça ressemblait à la voix de Napoléon. Pendant ce temps madame Lacuve entraînait son mari dans la rumba, mais chaque fois qu'elle le laissait à lui-même il continuait avec un twist parce qu'il oubliait les pas au fur et à mesure. Le docteur M'Bélélé et sa femme, quant à eux, dansaient une sorte de fox-trot congolais en agitant les jambes avec divagation, oh! comme c'était beau, toute cette jeunesse musicale s'agitant dans nos corps comme une plaisanterie!

Après cinq morceaux, Napoléon a commencé une chanson plus tranquille, et alors Joëlle et moi on a pris par le sentier au bout du champ de fleurettes jaunes. En chemin, la campagne nous envoyait ses bruissements d'insectes et de vent dans les oreilles pendant qu'on ne disait rien. Sur les poteaux des clôtures, des oiseaux multicolores avec des couronnes de carton posées sur la tête se reposaient sous leurs ailes repliées. Dans un enclos une vache nous a regardés, ses pattes soutenant son grand corps trapu comme une enclume pendant que la queue chassait les mouches et qu'à l'autre bout le museau mâchouillait un morceau de pelouse. À l'intérieur, l'herbe faisait son chemin, ce qui déclenchait une petite foire d'engrenages profonds, et alors l'animal commençait à rêver de beurre, de crème fraîche et de yogourt. Sur les flancs on voyait la carte géographique du monde dessinée à la main par la nature noir sur blanc, et juste à gauche de l'Atlantique il y avait une petite croix avec ces mots écrits en rouge juste au-dessus : *Vous êtes ici.*

À l'entrée d'un bois quelqu'un a appuyé sur la gâchette d'un lance-flammes et un renard est passé. Au-dessus des arbres de petits nuages blancs avançaient avec insouciance. Dans les champs, des moutons qui les prenaient pour des cousins leur faisaient la conversation dans leur langage mystérieux de bêtes inoffensives. Partout le moteur des fleurs ronronnait, et alors chacune étendait son vêtement d'odeurs jusque sur nos cheveux. Devant nous le ciel s'inclinait et descendait jusqu'au pied des choses terrestres.

À l'horizon, le monde finissait.